COLECCIÓN Literatura

Editorial PanHouse
www.editorialpanhouse.com

Edición general:
Jonathan Somoza
Gerencia editorial:
Paola Morales
Coordinación editorial:
Barbara Carballo
Edición de contenido:
Francisco Bonivento
Corrección editorial:
Francis Machado
Corrección ortotipográfica:
María Antonieta Flores
Ilustración de portada:
Cristhian Sanabria @chrissbraund
Diseño, portada y diagramación:
Audra Ramones

ISBN: 978-980-437-087-8
Depósito legal: DC2022000011

Una nueva Emma

ÍNDICE

Dedicado a todas las Emmas
del mundo que se han atrevido
a desnudar su corazon;
aquellas que han descubierto
que la puerta del alma tiene
una sola forma de abrirse,
y es hacia dentro.

Agradecimientos

A todo mi linaje, por entregarme todo lo que he necesitado para crecer. Mis cicatrices me recuerdan el valor de la gratitud.

Sobre la autora

Me defino como una mujer emprendedora, inquieta, indagadora, ávida de aprender todo lo que tenga que ver con el ser humano y sus misterios, descubriendo en cada uno una parte de mí. Las posibilidades las busco, las oportunidades las creo.

En otro orden, tengo algunos roles que me dan la oportunidad de presentarme, soy psicoterapeuta, *coach* y facilitadora de procesos de crecimiento, tales como constelaciones meditativas, bioneuroemoción, *mindfulness*, PNL transgeneracional, hipnoterapia y otras técnicas de liberación interior. Sin embargo, prefiero seguir siendo aprendiz de la vida.

En definitiva, soy la suma de todo lo vivido, de todo lo dado, de todo lo tomado. Creo firmemente en las técnicas meditativas, las cuales utilizo tanto en mi vida personal como en el acompañamiento que brindo a otros.

La risa es mi sello personal y mi ventana a la vida. Mi misión es la de acompañar a todo aquel que esté dispuesto a trabajar sus procesos personales e interpersonales y a reencontrarse con su esencia, el único camino que conduce a una vida próspera en todos los sentidos; porque a la larga, lo que cuenta es poder **vivir a plenitud**.

Prólogo

Más que honrada de estar en las primeras páginas de un libro de alguien que amo y admiro y que sé que cambiará tu perspectiva y tu vida. Estoy feliz de motivarte a leer a una maestra de sanación y sabiduría como lo es Susana Wise.

No sé dónde estás, si llegaste sin saber por qué a este libro, si ya estás en el camino hermoso de sanar o si ya lo has caminando bastante; lo que sí te puedo asegurar es que no importa dónde estés, este libro te conectará aún más en esto que nadie puede hacer por ti . Si recorres este camino estarás regalando más de lo que puedas imaginar a tu familia, tu empresa, al mundo y sobre todo a tus generaciones por venir.

Por muchos años he acompañado a miles de líderes y dueños de negocios a diseñar una vida superproductiva y feliz, pero por momentos sentí que una pieza me faltaba. Sabiendo que cada persona es diferente, un mundo de infinitas posibilidades, siempre he observado con fascinación que nuestro camino estará lleno de momentos de crecimiento voluntario y si no de crecimiento producido por crisis que llegan como recuerdo de que no hemos prestado atención al ciclo de la vida, que nos da señales, y que en su movimiento continuo por siempre e inevitable, quiere que evolucionemos, transicionemos y salgamos de eso que muchas veces queremos evadir, porque queremos protegernos inconscientemente.

En ese continuo y desapegado juicio en la observación descubrí que sanar es la gran llave para poder honrar nuestro gran potencial. Pues en ese descubrimiento aprendí que yo también tenía que sanar. Es ese camino que nadie nos muestra, ni nos enseñan, no recuerdo jamás que alguien me haya encaminado a hacerlo; y hoy te puedo asegurar que desde mi mirada es un camino responsable de nuestra existencia y que toda persona viva y que desea liderar su vida y negocio tendrá en su momento que elegir hacer.

¿Este camino es fácil? Para nada. Todo Dependerá de cómo lo quieras enfrentar. Desde la abundancia de que estamos vivos para vivirlo o desde la escasez del miedo que nos puede producir como simples mortales que somos. Si fuera cómodo todo el mundo lo hiciera y tal vez no estuviéramos aquí teniendo esta conversación. Es un proceso distinto para cada quien, lleno de emociones, liberaciones, lágrimas, perdones y tanto más que te edificará, te dará paz y mucha presencia que impactará tu vida para mejor, eso te lo puedo asegurar, no por impresión sino por haberlo visto tantas veces y sus increíbles resultados. Y este libro tiene la intención desde el amor de despertar tu sabiduría a disfrutar el viaje a través de sus capítulos llenos de color.

Como este complejo y dinámico dual ser que somos, humano y alma, en un camino único, te invito a que este libro más que una lectura, lo conviertas en parte de tu viaje. Léelo con presencia, tranquilidad y curiosidad y busca conectar todo aquello que resuena en tu corazón como un propósito del aquí y del ahora de que estés leyéndolo. No es casualidad esta lectura para ti, eso te puedo asegurar, así que disfrútala a todo propósito para la historia de tu viaje y vida.

Este libro, mezcla de la Isabel Allende que vive en Susana y su gran sabiduría de años de acompañar sin juicios y siendo de utilidad para miles, te meterá en cada pequeña historia con un propósito para ti; esta será una danza que activará tu imaginación y creatividad. Déjate llevar, vive cada momento y dale riendas sueltas a tu inmersión en él y que cada capítulo toque tu corazón en sanación y sabiduría que con certeza sé es el para qué de inspiración de mi querida Susana.

Emma será tu espejo, será tu cómplice, será tu inspiración. Dale la oportunidad de acompañarte a descubrir, a liberar y sobre todo a sanar. Desde ya, gracias Emma por todo lo que nos vas a regalar.

¡Feliz y sabio viaje de lectura te deseo!

Suz Amaro

Creadora de Vivesmart.

Capítulo I

Las dos Emmas

En el momento que hacemos algo que nunca hemos hecho antes, ya estamos en el camino de la curación.

Alejandro Jodorowsky

Siento que no nací el día que indica mi cumpleaños. Yo llevo los siglos encima. Sí, tengo mil años, dos mil, doscientos mil años... Mis pies me pesan como plomo y apenas si puedo moverme.

Me cuesta caminar y seguir adelante. A veces creo que soy nada más que pasado. Me miro al espejo y veo pasado. Observo mi cara de centurias y un cuerpo enraizado como un árbol a la tierra, pero sus ramas no florecen y ni hablar de los frutos.

Este eterno otoño que invade mi ser parece anhelar la inclemencia del invierno hace tanto anunciado en los barómetros de la estación húmeda de mi alma. Así me siento.

Ya es domingo y mi hija duerme. Agradezco que no lleguen hasta ella mis resonancias. ¡Cómo duerme! ¡Qué plácido es su sueño! Yo apenas si puedo cerrar los ojos unas horas en las noches. Y no hay imaginación ni fantasía que active mi inconsciente.

A veces me pregunto si soy una persona o un autómata que simula tener alma y corazón. Cobijo a mi hija y le rezo una oración:

—Tú eres mi niña y yo soy tu madre. Que la Gran Fuente derrame sobre ti su protección y que nunca te falte mi amor. Amén.

Creo que la aprendí de mi padre. La recitaba con su aliento impregnado a alcohol. Me la susurraba cuando dormía o, por lo menos, eso fingía yo, porque a pesar de su borrachera me hacía sentir protegida.

No me daba paz, ni siquiera reparaba en el significado de las palabras. Era que tan solo me hacía sentir protegida. Me conmovía el hecho de que aquel hombre grande y fornido, torpe y tambaleante por lo que sea que estuviera bebiendo esa noche, tuviera tal tiento para controlar sus movimientos en la oscuridad de mi cuarto de niña. Ni siquiera tropezaba con las muñecas que estaban tiradas por todo el suelo.

Caminaba provisto de una inusitada habilidad gatuna. Yo me hacía la dormida, pero sabía que me contemplaba largo rato, supongo que intentando delinear mi pequeño rostro en la penumbra.

Si no fuera por el resabio de su aliento casi juraría que entraba en un trance de ternura que lo separaba por un rato de su borrachera.

—Que nunca te falte mi amor —decía con voz delicada y profunda.

No era él, ahora creo. Pienso que era un ancestro, un ser remoto que por un instante tomaba su lugar.

¿De dónde viene esa oración?, me pregunto. Recién ahora se la repito a Lucía cuando duerme y debo confesar que hasta ayer o anteayer lo hacía con la misma inconsciencia como la recibí de mi padre. Lo más extraño de todo es que yo, para entonces, contaba con seis años, los mismos que tiene mi hija en este momento.

Me doy cuenta de que es una oración pagana, nada que ver con la tradición judeocristiana que siempre permaneció en mi familia. Pero me encanta y, no sé por qué, pero creo que debo conservarla y transmitirla.

Vuelvo a la cama y medito todo esto a oscuras. No tengo sueño. El sopor del ambiente y de las cosas circundantes no me contagia. Tan separada me siento del entorno que no soy parte de nada. Siento que estoy, definitivamente, afuera de este mundo.

Nada se mueve. Ni siquiera los insectos nocturnos guardan respeto a su jornada. ¿Por qué no hay hormigas en la cocina? ¿Por qué ni siquiera escucho el chirrido de algún animal?

Me remuevo en la cama. Me agito como un gusano en su estuche de seda. La suave cobija, la cama caliente, pero no, nada que viene el sueño a salvarme de estos pensamientos sin cauce.

Ya sé. Iré a la cocina y, a hurtadillas, encenderé la luz. De seguro, descubriré a algún bicho incauto descolocado por el repentino resplandor. Voy descalza y el suelo frío me estimula la ansiedad. Me siento como en una misión. Debe haber un mundo que bulle a mis espaldas. Una casa tan grande no puede estar tan muerta.

Asegurándome de no hacer ningún ruido, apenas respiro. En puntas de pie llego al interruptor y enciendo la luz, entonces apunto la mirada hacia los trastes del lavaplatos, hacia el refrigerador, la estufa, el horno... Nada. Ni un atisbo de actividad.

Me siento defraudada. Todo esto me hace más honda mi actual tristeza. Más que eso es desesperanza; un no sé qué me carcome por dentro. El nudo en la boca del estómago aprieta un nuevo lazo y un bicho interno devora parte de mi esófago. Lo siento moverse en este justo momento en contraste con la inmovilidad del mundo exterior.

Apago la luz, ¡qué más da! Agarro un vaso de agua del cual no bebo. Camino por los confines de la casa que conozco plenamente. Cada objeto, cada silla.

Lo hago descalza como empujada por un deseo perverso de tropezar con algún filo inesperado que pueda herirme; o que un animal me pique, por favor. Pero nada, soy yo y el frío silencioso del mundo muerto a mi alrededor.

Es extraño, pero desde que Richard se fue ya no siento ni presencias ni fantasmas. Cuando él estaba en casa, apenas salía del cuarto a oscuras sentía cómo se me erizaba la piel y que un ente respiraba su aliento en mi nuca.

Por supuesto que aterrada, mi voz no era capaz de elevarse en un grito.

—Richard —temblorosa arrastraba las sílabas.

Me costaba comprender cómo él me escuchaba. No sé si realmente era eso o lo que sucedía era una especie de telepatía. Lo cierto es que él llegaba cuando yo me encontraba en plena parálisis o crisis de terror.

Sin embargo, desde que se fue también se despobló la casa. Desde que firmé el divorcio, el hogar quedó inhabitado. Lucía y yo somos como dos laceraciones que rompen el equilibrio de lo inanimado, que hieren la inactividad de las paredes y de los rincones de los cuales ya ni siquiera telarañas tengo que limpiar.

Me aterraba, en especial, el final del pasillo que lleva al antiguo cuarto de servicio, convertido ahora en un cuarto de desahogo. Allí va todo lo que carece de un lugar concreto.

Allí permanece desde siempre una silla que nadie usa. Pues, más o menos a los dos años de habernos mudado, comencé a encontrar la extraña (por decir lo menos), la aterradora visión (en ese momento así lo vivía) de mi hermano mayor allí sentado.

Murió a los seis años en un aparatoso accidente de auto. Mis progenitores habían discutido acaloradamente y mi papá, pasado como siempre de tragos no sé por qué se llevó a Juan con él.

Media hora después se estrelló contra un árbol. Él salvó su vida, pero el pequeño murió al instante. Me acuerdo, perfectamente, a pesar de mis escasos cuatro años.

Cogida del brazo de una tía caminé por una calle oscura y llegamos al sitio donde comenzaban a acumularse los curiosos. Mi madre al borde de la locura gritaba y golpeaba a mi padre que apenas se sostenía en pie.

Un hombre desconocido sacó a Juan del amasijo de hierro y pude ver su carita desfigurada y repleta de sangre. Los miembros de su cuerpo colgaban tambaleándose inertes a expensas de los movimientos del señor que lo sostenía.

Fue allí cuando mi tía me tomó en sus brazos y me alejó del lugar. Mientras lo hacía podía sentir su agitación y la humedad de sus lágrimas deslizándose sobre mi cuello. No obstante, yo no lloré ni sentí algún tipo de emoción.

Así fueron las cosas y, a pesar, de lo que cualquiera pueda inferir, en todos estos años borré el recuerdo de tan mórbido episodio. Hasta que, llegado un día, tal como ya lo he dicho, me encontré a mi hermano sentado en la silla que da al cuarto de los trastos y de las cosas inservibles.

La primera vez me quedé paralizada, hipnotizada por el azul de sus ojos que no recordaba. Me miraba fijamente. Ojos de niño, sí, pero corrompidos por el dolor. La cara ensangrentada bastante difusa. Sin embargo, lo más aterrador era su cuerpo, un cuerpo de hombre maduro.

Yo no sé qué era, pero algo sentía yo que me reclamaba. Entonces yo gritaba, o intentaba hacerlo, y venía Richard en mi ayuda. Por supuesto que él no veía nada.

—Lo haces para llamar la atención.

Y yo a punto del desmayo trataba de explicarle lo sucedido, pero a él poco o nada le importaba. Su escepticismo era tal que no admitía ningún tipo de argumento.

—Definitivamente, estás loca.

Cuando yo lo mandaba al susodicho cuarto para que buscase algo que necesitaba, él lo hacía de forma chocante y no libre de burlas.

—¿Ves? —decía sentado en la misma silla de Juan—. No hay nada.

Y se explayaba sonriente como si se tratase del asiento más cómodo del mundo.

Pero sí había. Allí estaba mi hermano. A veces chico, a veces grande, visiblemente enfadado conmigo.

Hubo un período en que esto sucedía con bastante frecuencia. Siempre sentado en la misma silla. Hasta que un día lo comencé a soñar. Y en ese momento era alguien adulto como lo era mi padre al momento del accidente.

Estaba más enojado de lo habitual, caminaba por el pasillo con los brazos colgantes como lo había visto con el cuerpo inerte al momento de su muerte. Apretaba los dientes y de una patada abría la puerta de la habitación donde Richard y yo dormíamos.

En efecto, la puerta se abrió estrepitosamente y nos despertamos visiblemente alterados. Yo no pude contenerme y me atrapó el pánico. Fue la primera y única vez que vi a mi exesposo perturbado, aunque nunca perdió la compostura. Me asistió, cambió las sábanas y preparó una infusión de manzanilla.

No dijimos nada. Buscó a Lucía que, para entonces, era una bebé apenas, y la trajo conmigo. Fue la única vez que dormimos los tres juntos como una familia.

Sumida en estas ensoñaciones llega la mañana. Se está activando la vida en el jardín. Se inicia otra jornada en la tierra. Insomne, pasé toda la madrugada pensando en estas cosas que bien quisiera olvidar.

Hace mucho tiempo que no duermo de corrido. Y en los breves espacios en que lo hago, no sueño con nada. Mi reposo es negro e inhabitado, tal cual mi existencia.

Debo levantarme para ir a buscar el día, porque el día no llega a mi alma. Lucía debe estar por despertar así que me activo por ella y para ella, como creo de corazón que tiene que ser.

Además, no he preparado la clase de mañana. Debo explicar la estructura, la organización, la función y la expresión de los genes y los genomas.

¿Pero de qué me vale todo eso? ¿Cuántos años hace que repito tales cosas, curso tras curso? Generaciones de estudiantes han pasado y desarrollado sus carreras y yo permanezco como detenida.

¡Treinta y seis años y me siento como de ochenta! Sí, definitivamente yo nací hace doscientos mil años, mis pies son de plomo y estoy hecha más de pasado que de presente.

Cuando Lucía me pregunte qué es la vida, la miraré a los ojos y le mentiré. Le diré que no se preocupe, que todo estará bien, que vive en un mundo lleno de posibilidades. Sin embargo, descubrirá del tiempo y sus trampas cuando empiece a explorar y a vivir por su cuenta.

¿Cómo le explicaré que ni siquiera pude mantener un matrimonio por más de cuatro años? Eso sin contar con la versión que de ello le dé su padre. ¿Cómo explicarle el valor de la familia cuando ni siquiera soy capaz de mostrarle de dónde viene y cuál es su ascendencia?

Su madre bióloga, profesora de genética, no es capaz de entender y modificar para bien su estructura. ¡Qué irónica es la vida! Pobre de mi hermosa hija.

La amo, ¡cuánto la amo!, pero tengo la sospecha de que ese gran amor tal vez sea su condena. La familia es un receptáculo de amor condenatorio. Mi madre me ama y con ella me heredó toda su miseria.

Mi padre me amó y tomaba cantidades ingentes de alcohol para canalizar esa fuerza que lo llevó hasta el sepulcro. Él, definitivamente amó a mi hermano, pero... ¡pobre de mi hermano!, ¡pobre de mi familia!, ¡pobre de mí!

—Mamá.

¡Qué hermosa palabra!

—Mamá.

Cada vez que así me dice se me infla el corazón. A veces me cuesta asimilarlo. Es como si llamase a otra persona, como si no fuera conmigo. Me escondo para ver cómo me busca, cómo me necesita. Eso me complace.

Cuando la veo, me veo a mí misma y veo a mi madre y a mi abuela. Presiento a mi bisabuela y tatarabuela..., y a toda esa estirpe de mujeres hermosas y trágicas.

Veo su destino marcado en su amplia frente, que es el mismo que noto cuando me miro al espejo. ¿Ella es realmente ella? ¿O ella soy yo que me busco a mí misma? Yo soy ella escindida de mi cuerpo intentando continuarme. Es esa continuidad de la especie que arrastra lo bueno y lo malo.

—¡Ma!

Ya no aguanto más. Me descubro. Ella salta de alegría y le brillan los hermosos ojos azules de su tío. Dios la bendiga.

***

—Profesora Emma, ¿cómo podemos resolver los defectos congénitos que se heredan de nuestros antepasados? —me pregunta un joven y vivaz estudiante.

Yo le respondo automáticamente con una cita de un libro mil veces consultado.

¡Qué energía y qué ilusión parece tener! Para él, el futuro debe ser una etapa fascinante por descubrir. Mientras le hablo, pienso que si yo fui así en algún momento. No lo sé. Realmente, ya no lo recuerdo.

A veces nos inventamos un pasado para justificar el presente. "¡Y todo pasado fue mejor!", eso dicen, ¿no?

Doy una hora y media de clase en un aula con más de treinta personas. Pero la única que no está presente soy yo.

Me pongo en automático y explico por centésima vez lo que ya he dicho tantas otras veces.

Lo más extraño es que lo hago con coherencia, seguridad y asertividad. Sin embargo, no soy yo. Definitivamente, no soy yo. Lo hace la otra Emma, la de hace algunos años. Ella sí disfrutaba y se sentía orgullosa de ser una profesora universitaria.

Le tengo la muerte sentenciada. No la soporto. Quiero separarme de ella. Sí, necesito que desaparezca. Pero ¿cómo se convierte uno en su propio asesino? ¿Cuál es la condena por ello?

Comienzo por reducir a media jornada mi carga curricular. El rector me ruega que no lo haga, que esa plaza es para mí, que yo me la he ganado por mi talento y dedicación.

—No me importa.

Noto de pronto su cara de asombro ante semejante contestación. Esto me hace volver en mí, o a la vieja Emma, que aún está viva; indudablemente, la veo asomarse.

—Disculpe, señor Pérez. No es mi intención parecer altisonante o irrespetuosa. Agradezco sus palabras para conmigo, pero debo ocuparme de otros asuntos que demandan mi tiempo.

"¡Dedicarme a otros asuntos!". ¡Qué hueco sonó eso! Pero lo dicho, dicho está. El señor Pérez nada contesta. O sí, al final y sin dejar de mirarme a los ojos, como buscando a la muchacha que él había conocido y que en este momento no encuentra, me pregunta si me siento bien.

Yo no sé qué respondí porque no quiero escuchar a esta Emma que tengo que ser delante de él. Pero seguro fui más amable y condescendiente. Aunque preciso, por sus ojos desconcertados, que él no termina de encontrar a quien busca.

Le estrecho la mano, creo, y salgo de la oficina, de la facultad, del estacionamiento y cojo la autopista, pensando que ahora sí tendré tiempo para planear el asesinato de esa antigua Emma que con su dulzura, comedimiento y diligencia aún se entromete en mi vida.

A más de cien kilómetros por horas me dirijo al asilo que le pago a mi madre con el aún sueldo a tiempo completo de la universidad. No obstante, de pronto me encuentro atrapada en un embotellamiento.

Miro los letreros que señalan una desviación hacia la zona de la ciudad en donde me crie. Sin pensarlo dos veces, giro el volante y tomo ese curso. Visitaré a mamá después, supongo.

Llego a la zona de Bellas Artes y, sin ninguna ocupación pendiente, me doy el permiso de estacionar el auto y bajarme. "Muy bien", pienso. Me gusta esta nueva Emma.

Primera vez en mi vida que me tomo un momento de ocio. La idea de que no tengo nada que hacer, ninguna responsabilidad pendiente, casi me apabulla.

Es tan fuerte el instinto laborioso que pienso en devolverme al auto para buscar la agenda y asegurarme de no haber olvidado alguna tarea. Pero me contengo y guardo la llave en el bolsillo de mi pantalón.

Me dejo fluir por la zona bohemia de la ciudad. Jóvenes cirqueros hacen malabares y pasan sus sombreros entre los espectadores. Se pueden leer letreros anunciando obras de teatros y películas de culto.

Termino en un pequeño café, aún anonadada por esta sensación de inusitada libertad, de no tener nada programado. Me siento en una mesa al fondo y me pongo a mirar mi entorno como una simple espectadora.

Así estoy un rato dejando que mi mirada pasee por el tumulto de la gente tan ajeno a mí como tan ajena yo estoy de todo. Es como si estando aquí sentada, una sutil esencia invisible me envolviese. Y me gusta. Tenía tiempo que no me sentía tan tranquila. La verdad es que tal vez nunca lo había estado realmente.

El reloj de arena de mi tiempo presente se desliza y a mí no me importa. Y aunque el nudo en la boca del estómago sigue enmarañado; no obstante, siento cierto aflojamiento y holgura. Respiro a mis anchas y me dejo estar.

De pronto, de entre la caravana de teatreros y saltimbanquis, se asoma un personaje bastante particular. Una especie de brujo diabólico que se me queda mirando fijamente.

Lleva capa, sombrero negro de ala ancha y una máscara que me resulta, cuando menos, aterradora. Creo que solo es un actorcillo de segunda que juega con la situación.

Mi incomodidad va *in crescendo* cuando este ser comienza a caminar hacia mí abriéndose paso con su báculo entre la gente. Al minuto está de hecho plantado frente a mí, a menos de un metro de distancia y apuntándome con sus ojos agudos que se asoman a través de su fea máscara.

Golpea tres veces el báculo contra el suelo.

—El tiempo te ha traído acá, Emma.

¿Qué puedo decir? Quedo muda, evidentemente. Tengo que tragarme de nuevo el corazón que casi se me sale.

—Emma —repite.

—¿Ah? —alcanzo a balbucir, en tono medio estúpido.

Inmediatamente, se arranca la máscara.

—Soy yo, Alejandro —dice sonriente.

Yo casi me tumbo con todo y mesa.

—¿Estás bien?

—Necesito un café —respondo casi inconsciente.

Un poco después, recobrada de la impresión, puedo alinearme de nuevo con la situación y actuar con normalidad. Es Alejandro, en efecto, un amigo de infancia que no veía desde hace más de…

—¿Veinte años?

—Veinticinco, para ser exactos —precisa él.

Yo me tomo el café.

—¿Y tú qué? ¿Tomaste una ruta no habitual en la autopista? —continúa hablando como si nada.

Debo confesar que por más que lo intento no logro tomar el pulso de la situación. En tres sorbos acabo con el líquido de mi taza.

—Otro, por favor —le pido al mesero.

—¿Desde cuándo tomas tanto café?

—Desde hace cinco minutos, más o menos.

Me explica que me vio de lejos y pensó en jugarme una broma, pero al ver mi cara de espanto no pudo seguir con la chanza.

—¿Has probado alguna vez ponerte una máscara? ¿Sabías que los hechiceros aparecían disfrazados para diferenciarse del resto de la tribu, generalmente ataviados con cuernos, pieles de animales y máscara?

Me impresiona ver a Alejandro. La verdad es que en todos estos años apenas lo había recordado, pero ahora que lo veo es como si la brecha hubiera sido una semana.

—El tiempo es un invento, una noción meramente humana.

—¿Por qué lo dices? —le pregunto.

—Porque yo también siento que fue hace una semana que nos dejamos de ver.

Dios mío, es asombroso el nivel de intuición de este hombre. Me cuenta de su vida, de sus malabares con el destino... La verdad es que tiene un gran prestigio en el teatro. Al parecer, en sus obras refleja un compendio de teorías relacionadas con la magia, con la psiquis y la fenomenología, y otras cosas que me cuesta entender.

Ahora, más tranquila, noto que Alejandro tiene mucho del muchacho que una vez conocí, pero también es otro. ¿Cómo decirlo? Es el joven Alejandro fusionado con el hombre de ahora.

Muy diferente a las dos Emmas que a mí me dividen. En él no existe esa tensión. Se nota a leguas. Está atento, centrado, relajado, bien dispuesto. Muy dueño de sí. ¿Yo? ¡Yo me tomo el café como un escudo!

Tan intempestivamente como llegó, se despidió. Me besó la mano y sentí que me dejó un papel.

—Léelo cuando estés sola.

Revolvió en uno de los bolsillos de su túnica negra y sacó unas velas y unos cerillos de madera.

—Una vez que lo hagas, prende esta vela y quema el papel. No la soples, deja que se consuma enteramente. ¡Nunca soples una vela!

Y así como llegó se fue con su máscara y sombrero de mago entre la muchedumbre.

Al rato llegué al asilo. Mi mamá no está pasando por un buen momento. El alzhéimer está tomando terreno. La encuentro en su silla de ruedas con la mirada perdida viendo a través de la ventana.

Me acerco y noto que tiene un cuaderno en sus manos.

—¿Qué es eso, mamá?

—La novela. Mi novela.

Me la da y yo la recibo más por condescendencia que por deseo. Y la guardo en la cartera. Acto seguido, voy al baño y leo la nota que me dejó Alejandro.

"Ya es hora de que la vieja Emma muera".

¿Cómo es posible? No lo sé. No me queda más remedio que encender la vela y quemar el papelito.

Profundamente conmovida como es claro suponer, dejo que la vela se consuma el tiempo que sea necesario sobre el tanque del retrete. Y al salir del baño veo que mi madre está en la misma posición mirando hacia afuera y murmurando algo con sus labios temblorosos.

Me acerco para atender a lo que está diciendo.

—Tú eres mi niña y yo soy tu madre. Búscame con orgullo y humildad. Búscame con amor y certeza. Tú eres mi niña. Yo soy tu madre.

Capítulo II

La novela familiar

Hay un fondo borroso de papeles quemados, como una repentina combustión de residuos que se han ido esparciendo en las habitaciones.

José Manuel Caballero Bonald

Soy madre de mi madre. Siempre lo he sido. Mi niñez fue sepultada bajo la urgencia de hacerme cargo, de tomar el control de la situación. Fui madre antes que niña. Nunca he sabido a ciencia cierta lo que significa ser una hija.

Crecí desfasada, postergando la inocencia bajo la excusa de otras necesidades más urgentes. Prioricé mi feminidad en avanzar hacia lo concreto de las responsabilidades propias del hogar.

Jugué con muñecas, sí. Pero más que una diversión consistía en un entrenamiento, no ya para tener hijos sino con el afán de ubicarme y habituarme en un rol para el cual evidentemente estaba fuera de tiempo.

Mi madre allí estaba, mi padre también, pero más que figuras de autoridad representaban dos extravíos. Yo aprendí de ellos los ejemplos con la inversión de los valores. Es decir, se forma uno de lo bueno y de lo que no lo es tanto y, tal como quienes teniendo buenos ejemplos empujan su vida a todo lo contrario, en mi caso esta ecuación funcionó, asimismo, al otro lado de la vereda.

La rebeldía de ellos y las maneras de lidiar con sus conflictos me convirtieron en una hija mortificada. Reprendía, entonces, a mis muñecas. Las castigaba severamente. Sobre todo, a Lola, mi "predilecta".

Apareció en el árbol de Navidad unos meses después del accidente de Juan. Mi padre dijo que la había traído la cigüeña. Yo asumí que era cierto. Y desde entonces fue mía.

Siendo así, le trasladé mis rasgos hereditarios. Le heredé la sonrisa que yo borré definitivamente de mi rostro. A partir de mis cuatro años de edad nunca más reí plenamente, por lo menos no con la risa franca de un niño. Lo que quedó fue un rictus más desolador que contagioso.

Lo cierto es que Lola, hija única, por supuesto, gozaba de lindos trajes y vestidos muy bien confeccionados. Era la única porque las demás muñecas eran eso, solo juguetes. A ninguna otra le di el milagro de la encarnación.

He nombrado su sonrisa porque en ella era permanente, con los labios color carmín y perfectamente delineados, enmarcando a unos dientes bien dibujados. Era así su eterno sonreír.

Aparentaba una felicidad perpetua. Y es que Lola no era realmente feliz. A pesar de su eterna sonrisa se notaba en ella cierta esencia fatigada cuando puesta en posición horizontal cerraba sus ojitos.

Así fue como siempre aguantó con solemne empeño la mala suerte de tenerme como madre. Se mostraba feliz incluso cuando, en un acto de humillación, la introducía en el agua hasta que pedía auxilio.

Seguía sonriendo a pesar de que la dejaba de pie por días enteros en el rincón más aterrador del cuarto. Lo hacía para que no pudiera cerrar los ojos. Y cuando la volvía a tomar, seguía bien portadita y dispuesta, como siempre. Nunca una falta. Jamás un gesto de reclamo.

Así aprendí a conectar amor con crueldad, a expresar lo que por dentro me quemaba, lo que de otra manera no me atrevía a soltar; lo que ardía en mí sin que ninguna célula de mi cuerpo quedara sin enterarse.

En esa vida digna de una larga y tediosa telenovela mexicana, sufrió Lola mis perversidades y castigos. Hasta que cuando cumplí los quince años la tomé del rincón donde había estado los últimos tres meses y me despedí de ella como hubiera querido hacerlo yo en ese momento. Le dije adiós, abandonándola a su suerte justo debajo de uno de los árboles que crecían en el patio.

Así fue como mis primos la encontraron y le entraron a patadas, simulando un frenético juego de fútbol. Aún allí pude ver su sonrisa, los dientes dibujados y sus labios perfectamente delineados. En adelante, reí con esta mueca que, a veces, se estampa en mi rostro.

Pues sí, la abandoné, lo confieso, pero seguí siendo la madre de mi madre. Aún hoy lo soy, lo he sido toda mi vida. ¡Y qué difícil es lidiar con ella! Una mala hija se podría decir, de la cual apenas si sé lo obvio. Poco o nada entiendo de su pasado. Para mí, todo en ella es un muy desagradable abismo.

Hay mujeres que por nada del mundo deberían convertirse en mamás. Puedo afirmar que a pesar de ser madres biológicas, no por ello deben endilgarse tal rótulo.

Leí alguna vez que las circunstancias por las que celebramos a las madres, no es porque son, sino más bien por lo que han sido. No puedo estar más de acuerdo. Es por ello que en mi mente resurge, una y otra vez, la angustiosa y triste aseveración de que más que sentirme hija, siempre he sido madre. Madre de mi madre.

Desde mis cuatro años hasta acá he tenido que ser yo quien mantenga la sostenibilidad de una amarga familia en donde más que hogar lo que hubo fue una casa. Era un lugar donde, por un tiempo, se vivió una historia, en donde cada uno de los personajes le dio vida a su papel, tejiendo un guion repleto de nudos sistémicos. Eso fue todo.

Y aquí sigo. Aún hoy (ahora más que nunca) debo cuidar de ella. Procurar su alimentación, velar su sueño, cambiar sus pañales, cubrir los costos de este asilo para que esté digna y cómoda. Es una pobre anciana y nada más. Ya nada queda de su orgullo y ni hablar de su mente, siempre dispuesta al prejuicio y las quejas.

Se lleva con ella la pesadez y la oscuridad de sus pensamientos, a los cuales apenas puedo acceder de manera intuitiva. Nunca nos hemos comunicado. A pesar de los años, nuestro puente siempre ha estado deshecho entre las rocas, llevado por la corriente, construido de palabras sarcásticas, de silencios cortantes.

Más que amor, nuestro vínculo es un lastre o, quizás, un karma o es justicia divina mal canalizada. No la quiero o no la quiero querer. Mi amor hacia ella es como un tumor mal extirpado.

Ciertamente, existe un amor limpio que nace del afecto, hay otro que surge de las entrañas de no sé qué monstruo fatalista. Mi sentimiento es un reflujo que fluye como un ácido desde el centro de mi ser hacia el exterior y que vomito con el asco de mil cosas.

Lo no dicho entre nosotras es devastador. Yo siempre guardé la esperanza de que algún día nos sentaríamos a conversar y me diría de sus cosas y me enseñaría a llorar. Lejos de eso, se encuentra sumida en la demencia y se deshace dentro de su propio olvido. Escapa de un incendio que solo ocurre en su imaginación y en el cual yo también me chamusco.

Y es que sin memoria ¿quiénes somos? Si mi propia madre me ha olvidado, ¿de veras existo? Ahora mismo estoy sumida en el vértigo de la desmemoria.

Con su alzhéimer se borra también mi pasado y lo que soy junto a ella, eso que yo misma desconozco. Sin su apoyo y sin su acompañamiento amoroso no puedo confiar en el proceso de la vida, no puedo más que asustarme al encontrarme con mis partes oscuras.

Este susto me tiene con los nervios de punta. Es como andar sin pies, o tocar sin manos, o tener dedos sin huellas digitales. Todo eso y más es el susto del olvido. Es como presenciar la quema de la última copia de un libro sin manuscrito.

Así son mis huellas, marcadas en la orilla de una playa. Cuando me volteo, ya no hay nada. La regresión de mi espíritu es entonces ese mar que diviso.

Esa amnesia emocional es el vínculo más fuerte entre esta vieja demente que se olvida hasta de ella misma. Un casco sin cerebro ni emoción, una cosa y ya.

Y mientras la culpa de sentir como siento me carcome, me apabulla y me desorienta, pienso ¡es mi madre! ¡Qué carajo me pasa! Su útero fue mi primera casa, mi primer hogar, de ahí vengo y a pesar de tanta resistencia, de tanto dolor, de tanta evasiva, algo se me va con ella, como un suspiro.

Los días pasan y mi madre no hace más que empeorar. Es por eso que he decidido pasar unos días con ella. No sé de dónde me viene este impulso, pero me parece irrefrenable, a pesar de vivir cada minuto de manera lenta y miserable.

Ayer, alistando las cosas, Lucía me empezó a preguntar por su abuela, que la quería ver, que le contara sobre mi infancia, mis juguetes, mis amigos… Lo hacía con su habitual dulzura e inocencia, pero tales temas despiertan lo peor de mí.

Le respondí de una forma cortante y evasiva. La distraje, aunque no valió de mucho. Intuyó mi gesto, desatando en ella un resentimiento que se manifestó como negativad y testarudez.

Yo, por mi parte, hice malabares para salir airosa, sostenida por el orgullo y la arrogancia. En ese momento reconocí en mi voz el timbre de voz de mi madre. Quise llorar y casi sentí como una especie de satisfacción en eso. ¿Satisfacción? ¡Qué ironía! Una especie de amor-odio que no llego a comprender. Pero lo sentí, quizás porque me acerca a mi derecho a pertenecer, porque me devuelve a través de ese hilo que hemos ido tejiendo esa mujer, mi madre y yo, su hija.

Es en este momento cuando me doy cuenta de que mi hija solo está tratando de entender el tejido del que forma parte. Ese hilo que la conduce al encuentro de su propia alma.

El sonido de mi móvil me recuerda que el tiempo corre y aprovecho el final del semestre de la universidad para dejar a Lucía con su padre. Se baja del carro con una nota impresa conteniendo instrucciones muy específicas sobre estructuras y lineamientos que ayuden a mantener el ritmo habitual de la niña.

En ese instante me percato de la presencia energética de mi padre en mi manera de dirigir todo a mi alrededor, sobre todo, incluyendo la vida de mi hija. Mi padre, tan estructurado, tan controlador y dueño de todo.

Esto me pasa cada vez más seguido y me asalta de súbito cuando estoy desprevenida. En el momento en que me siento desconectada de lo circundante, vencida por la acción inerte de los días, me quedo con la inconciencia plantada de frente.

De allí, surgen o emergen, primero de manera tímida, después con visible agitación, una gran muchedumbre venida de mi interior. Como si me poseyera desde el más allá una fuerza sobrenatural más grande que yo y de la que tan solo soy parte.

Distingo a mis padres y otros tantos rostros y voces que nunca he visto pero me parecen naturales. Si bien, creo borradas las huellas familiares y, junto a la enfermedad de mi madre, asisto al enterramiento del linaje familiar, percibo que algo en mí se conmueve.

Llego al asilo y mi madre parece estar extrañamente presente.

—Hola, Emma.

La miro y noto parte de esa amargura que en otrora era habitual en ella.

—Sácame de aquí.

—No puedo, mamá. Aquí estás bien.

Nos quedamos un rato en silencio. Tenía semanas que no volvía en sí.

—¿Estás bien? —le pregunto.

Ella se queda pensando mirando el vacío y, poco a poco, noto que sus ojos comienzan a empañarse de nuevo.

—Tengo miedo, Emma. Siento que me voy.

Me le acerco y la tomo de las manos.

—No te preocupes, todo estará bien.

Pero su rostro arrugado se transmuta.

—Se me ha olvidado todo lo que no dejé por escrito —dice la pobre.

¿Qué querrá decir? ¿Pero acaso todo esto no será más que el delirio de una vieja demente y enferma?

Pongo un poco de Frank Sinatra porque a ella siempre le gustó.

Fly me to the moon.

Let me play among the stars.

Let me see what spring is like.

On a Jupiter and Mars.

In other words, hold my hand.

In other words, baby, kiss me.

Fill my heart with song and let me sing forevermore[1].

Suena en una vieja corneta con sonido monoaural. Y a la vieja parece suavizársele el rostro. Por un momento, un instante fugaz alcanzo a ver a la antigua mujer como cuando estaba feliz y encendía un cigarrillo, abría todas las ventanas de la sala de la casa familiar, bailaba y cantaba.

Let me sing forevermore.

You are all I long for, all I worship and adore.

Lo hacía bastante bien, de hecho. Habría podido emprender una carrera musical.

Le pido que cante, pero se va evaporando como en un mal sueño. La pierdo otra vez. La arrimo en su silla de ruedas hasta la ventana para que mire al exterior.

1 Frank Sinatra, *Fly Me to the Moon.*

—¿Mamá?

Me mira confusa.

—¿Cómo me ves? —me provoca preguntarle.

—Horrible.

La dejo quieta. Me voy al baño. Quisiera llorar, pero no sé cómo hacerlo. Me miro al espejo.

—Maldita sea la madre que te parió —es lo único que alcanzo a decir como un desahogo.

La acompaño por unos días. Ella nunca más vuelve en sí. Me la paso atendiendo sus necesidades básicas. En mis ratos libres miro la televisión junto a las enfermeras o camino por el jardín donde doy rienda suelta a mi nueva afición de fumar.

Nunca en mi vida lo había hecho, pero tomo el hábito como quien estrena un suéter. Al principio me parecía desagradable y me mareaba, pero perseveré rápido.

En tres o cuatro días ya estoy enganchada. Fumo, cuido de mi madre, camino, fumo otra vez, veo la televisión y sigo fumando. Tal es mi rutina. Apenas si he llamado a Lucía. Acaso si la pienso. Me desconecto del mundo exterior y ni siquiera siento la necesidad de salir de aquí.

Me recluyo junto a mi madre. No quiero saber de nada más. Por un momento olvido hasta mi presencia. No me arreglo el cabello, tampoco me maquillo. Me ha invadido la absurda certeza de que la vida es un disparate adornado de diamantes.

"Horrible", me repito una y otra vez. Y me echo a reír a carcajadas. Luego le cambio los pañales. Le doy la sopa y la llevo en su silla de ruedas a la ventana.

Muy dentro de mí es como si deseara su muerte. Es también como una desmemoria lo que yo vivo. Es como si me quisiera olvidar de mí misma y de lo que he sido hasta entonces.

El tiempo que transcurre parece empeorarlo todo. Yo lo que quiero es que el mundo se detenga, que no exista el movimiento. Lo único que deseo es flotar en el letargo del humo de los cigarrillos que ahora son mi única distracción.

Me despierto de un sobresalto en plena madrugada. Podría jurar que escuché un grito, pero el ambiente está tranquilo. Mi madre duerme con absoluta calma.

Me levanto y al buscar un cigarrillo en la cartera me encuentro con el manuscrito que mi madre me dio incidentalmente la otra vez. Lo había olvidado por completo. Lo ojeo y puedo notar que está escrito de su puño y letra.

Enciendo el cigarrillo mientras comienzo a leer. Al parecer se trata de un libro en clave autobiográfica.

Transcribo parte de lo que allí encuentro:

Emma: la que es fuerte

Quiero liberarme de este peso que me oprime. Despojar estas escasas memorias que aún me quedan y que sucumben a la oscuridad entre los últimos rayos de luz que ya se extinguen.

Desde hace un año o dos, sufro de alzhéimer. Siento cómo la enfermedad se va apoderando de mí. Ya no soy ni la mitad de la mujer que era antes. Estoy a las puertas del vacío. Yo no quiero saltar, pero el tiempo me empuja.

Mi vida ha sido oscura, y no pretendo aclararla con estas líneas, menos aún librarme del infierno que me aguarda, ni redimirme de modo alguno. Solo quiero decirle a Emma lo que guardo en el corazón.

He sido una pésima madre. Lo siento. Desde que Juan murió no hice más que venirme abajo. A veces falta un pequeño bache en el camino para estropear todo el viaje.

Yo siempre me vi marcada por un halo fatal que auguraba una vida quebrada. Fui una niña frágil e hipersensible. Ya a los ocho años devoraba novelas románticas con trágicos finales. Y siempre me proyectaba en el rol de la protagonista hermosa pero llena de dolor y tristeza que lejos de realizarse, sucumbe al mundo, aplastada y apartada.

Me mantenía enferma recluida en casa. Parecía un fantasma. Solo comía purés, papillas y frutas pasadas. No conocía los sabores. El ácido del jugo de naranja me asustaba, y no toleraba nada de procedencia animal.

Lloraba sin razón y vomitaba. En fin, sufría mucho, lo indecible para una niña tan pequeña y bien educada y que, en apariencia, contaba con un hogar bien establecido.

Adoraba a mi padre quien me apoyaba en mi afición por el arte, único medio de expresión y liberación, y para el cual siempre mostré especial talento. En cambio, mi relación con mi madre siempre fue distante y, apenas, si recuerdo haber cruzado con ella más palabras que las necesarias para la comunicación cotidiana e indispensable.

Sin embargo, no era ese el motivo de mi aflicción tan prematura. Una tristeza y desamparo pasmaban mi sano desarrollo. Me sentía siempre expuesta y susceptible a lo exterior y, por más que contara con el cobijo de mis padres y que amase con desmesura a mi papá, no contaba, no encontraba yo el consuelo necesario.

Mi padre fue mi primer amor. Era hermoso, caballeroso y atento. No veía en él nada de mí. Sus facciones firmes y varoniles contrastaban grandemente con mi tez delicada y fantasmal.

Yo poseía una belleza horrorosa, si cabe la expresión. Más que invitar a la cercanía, asustaba. Poseía las facciones de mi madre, su viva estampa, a decir de muchos.

Así pasó mi niñez y, a pesar de todo pronóstico, sobreviví. Llegué más firme a la adolescencia, como encontrando un camino. Me destacaba cada vez más en el canto, lo que parecía augurar quizás una carrera profesional.

Lo cierto es que resumiré toda esta fase de mi vida para no hacértela tan tediosa y larga como la he vivido yo.

Recibí el primer dardo que me agrió por completo. Descubrí que mi padre realmente no lo era. Nadie me lo dijo. Me enteré a hurtadillas tras una puerta escuchando a mi madre conversar con una de mis tías.

¡Qué puedo escribir al respecto! Se me rompió el corazón. Sin embargo, nunca dije nada y todo siguió con su aparente normalidad. Pero yo cambié, nunca más fui la misma.

Mi padre o quien fungía como tal, sufrió mucho con mi cambio. Cada vez me alejé más de él y él nunca entendió por qué, por supuesto. Ahora me arrepiento porque siempre lo extrañé, extrañé ese lugar junto a él, el único con quien me sentía conectada, aceptada e incluida.

Con mi madre no hubo cambio importante, pero sí se arraigó más mi rencor hacia ella. En ella nunca encontré ese nivel de amparo que de niña necesité.

Me casé con Otto, más que por amor, para escapar o liberarme del núcleo familiar. La verdad es que soñaba con crear una familia más conforme a mis deseos y comenzar desde cero. Sin embargo, la vida me demostró que eso no es posible. No es posible deslastrarse así nada más del pasado, sobre todo cuando está más lleno de interrogantes que de certezas.

Pasé mi vida pensando en mi padre ausente; esa sombra me carcomía. Parecía encontrarlo en cualquier hombre que se cruzaba en mi camino. En cuanto al hombre que me crio, lo abandoné, como he dicho, y después de casarme apenas lo vi dos o tres veces más. Lo mismo con mi madre.

Otto era un buen hombre. Al principio fuimos felices. Tuvimos a Juan y a ti y, por un tiempo, todo estuvo bien. Pero de pronto comencé a rechazarlo. Su problema siempre fue la bebida y se agudizó de manera exacerbada.

Cuando sucedió lo de Juan lo odié profundamente. Para vengarme le dije que tú no eras su hija. Eso lo devastó. A partir de allí se convirtió en un pedazo de hombre, hasta que murió como un pobre desgraciado.

...

Escribo esto antes de que se esfume lo que puedo llamar mi vida. Confesiones no bonitas pero reales, confesiones que abren heridas pero que merecen ser sabidas.

Haz de esto lo mejor que puedas. Haz de esto un estandarte para abrirte a la vida y puedas darle propósito a tu vida, a tu futuro. Quizás no me atreva a darte este documento, aun así aquí lo dejo, y ya veré qué se le ocurre al destino.

...

Cuando me llamaste y te escuchaba hablando me vino de pronto el recuerdo de un poema de José Manuel Caballero Bonald que leí en la juventud:

Hay un fondo borroso de papeles quemados,
como una repentina combustión de residuos
que se han ido esparciendo en las habitaciones.

Es un milagro que me acuerde de esas cosas, ¿no crees? De seguro serán unos de los últimos recuerdos que vendrán a mí.

¡Recuerda que si existe alguien que puede curar estas heridas eres tú! No te repitas en mi historia.

...

Cerré el libro y sentí ganas de quemarlo. No podía dar fe a lo que había leído. ¿Será verdad todo esto o son inventos de mi madre?

En el fondo de mi corazón sé que es verdad, pero qué necia es la vida en hacerme esto. No obstante, supongo que por lo menos hoy me desperté sabiendo más de lo que había entendido.

Me levanté temprano, me lavé el cabello, recogí mis cosas y me marché. Ahora voy camino a cualquier lugar. Lo importante es huir de todo esto. He decidido dejar todo. No le debo nada a nadie.

Sí, quiero huir. ¿Por qué debo arrastrar yo con tantos fantasmas? No quiero asumir tamaña responsabilidad. Huyo como lo hizo Jonás. ¿Por qué tengo que ser yo la elegida?

CAPÍTULO III

La planta de los espíritus

Soy una mujer que llora. Soy una mujer que habla. Soy una mujer que grita. Soy una mujer que da la vida. Soy una mujer que golpea. Soy una mujer espíritu.

María Sabina

Huyo a cien kilómetros por hora a través de la autopista a la primera hora del amanecer. Corro sobre las ruedas de mi automóvil como si se tratase de un animal con miembros circulares que me lleva por la ruta que demanda mi destino.

En la naturaleza no existe nada igual. Nada gira de esta manera, como dijo Richard Dawkins[2], precisando que no existen las biorruedas. Es decir, podemos ver animales con tentáculos, con manos, los hay con patas, indudablemente, con alas también, pero no existen seres con extremidades circulares.

Fue en la antigua Mesopotamia cuando se comenzaron a utilizar carretas con ruedas, ayudadas de animales para arrastrar carga. Desde entonces no hemos perdido la costumbre de llevar nuestro peso a bordo.

Al día de hoy yo también cargo el mío. Libros, cigarros y algunas mudas de ropa. Con eso basta. Intento estar ligera al volante. Sin embargo, la verdadera y pesada carga la llevo en mi interior. La llevo girando sobre las ruedas de mi automóvil a cien kilómetros por hora.

De aquí para allá, de un lado para otro apenas si estamos al tanto del lugar por sobre el cual nos movemos. Una geografía que ha estado desde hace mucho y que, de seguro, seguirá allí tanto después de habernos ido.

---

2 Biólogo evolutivo, etólogo, zoólogo y divulgador científico británico.

Me detengo en una pequeña tienda de camino. Hago un poco de estiramiento para aliviar las horas que llevo manejando. Entro en busca de algunos víveres y de algo para leer.

Huelo el papel de las revistas. Compro una de tarot y psicomagia. Parece interesante. Sumo una caja de cigarros Marlboro y una bolsa de caramelos de colores surtidos.

Pago, me embolsillo el cambio y enciendo un cigarro.

—¡Acá no se puede fumar! —me recrimina el encargado en tono amenazante.

—¡Está bien!

Doy una bocanada, cojo mis cosas y salgo. Suelto el humo. Prendo el motor del auto y me quedo un rato ojeando la revista. Me pregunto ¿por qué no puedo fumar en un sitio donde venden cigarros? Como sea, en la tercera página me encuentro con una ilustración de la carta de El Loco que lleva el siguiente texto:

"El Loco es quien va perdido y sin rumbo. Se trata de una criatura que parece no vivir en la realidad, una criatura a quien nadie toma en serio y que vaga de un lado a otro, aparentemente sin saber qué busca ni adónde quiere llegar. El Loco o El Bufón, como también se le conoce, es el símbolo de la anarquía que reina en el nanocosmos".

***

Pagué un paquete por Internet (nada barato, por cierto) de tres días y dos noches para disfrutar de los supuestos beneficios de la llamada planta sagrada. Es primera vez que lo hago.

"Por medio de la ayahuasca recibirás una gran porción de momentos de paz y tranquilidad lejos de la bulliciosa y concurrida ciudad", decía el anuncio.

Hippies adinerados, hombres de negocios, turistas extranjeros, artistas amantes del yoga, de las terapias holísticas… Asimismo, los asiduos buscadores de drogas chamánicas, se van sumando, conformando un interesante y variopinto grupo de personas.

Reunidos y dispuestos, el llamado chamán nos explica el itinerario a seguir. Justo al momento me doy cuenta de que me siento un poco fuera de lugar. No sé si, realmente, es aquí en donde debo permanecer.

Siempre me pasa que en momentos de duda prefiero huir. Me cuesta integrarme con personas que apenas voy conociendo. Supongo que solo será cuestión de tiempo el saber si podré adaptarme.

Lo primero que nos informa el guía —seguro así estará estipulado en el folleto— es una ceremonia de unificación y limpieza de la energía. Eso es lo que haremos.

Aquí se me disparan las alertas. Creo que hasta este momento no había pensado bien lo que iba a hacer. Tan solo me dejé llevar. Necesitaba salir de la ciudad y sin pensarlo mucho llegué hasta acá. ¡Así de impulsiva fue mi decisión!

Estoy envuelta en un mar de incertidumbres. Tengo miedo, sinceramente. Cierro los ojos e intento mantener la calma. Respiro. Inhalo por la nariz. Expulso por la boca. ¿Es así?

¿Qué hago acá? Estoy como loca. Una persona como yo que ni siquiera se ha sentado a meditar media hora en su vida creo que no aguantará mucho tiempo.

Mejor me hubiese quedado en casa leyendo y fumando. Podría estar descalza caminando tranquilamente en mi jardín, sin sentirme tan expuesta y vulnerable.

¿Y Lucía? ¿Por qué la dejé? Hasta entonces, apenas nos habíamos separado. Me estará extrañando, seguro que sí. Primera vez que pasa tantos días con Richard.

Sí, definitivamente, la debí haber buscado para llevarla a comer un helado. Nos hubiéramos quedado hasta tarde viendo la televisión. ¡Cuánto la extraño! ¿Cómo se debe sentir en estos momentos? ¿Qué estará haciendo? ¿Se habrá tomado sus vitaminas?

En esta vorágine de pensamientos me encuentro. A pesar del estruendo y la confusión presente en mi cabeza, me doy cuenta de que a mi alrededor se ha hecho silencio.

El ánimo general parece de relajación y tranquilidad. Sin embargo, para mí todo esto resulta cuando menos inquietante. ¿De qué va toda esta gente? ¿Realmente quiénes son?

La verdad es que me siento como si estuviera entrando en una de esas sectas de dementes y fanáticos. Puede que sea gracioso pensarlo, pero es que todo esto es muy nuevo para mí.

Meditamos un rato. Bueno, ¡tanto como meditar, no! Los que meditan son los demás porque al cabo de dos o tres minutos yo no he dejado este monólogo interior. Además, no me siento a gusto en ninguna de las posiciones que adopto.

Tengo calambre, sed y hambre. Pensándolo bien, apenas he comido. Mi dieta de hoy ha sido café, tabaco y caramelos. Tengo días así en los que el cigarro ha sido mi mayor sustento.

Quiero carne. No soy carnívora, pero quiero un buen pedazo de bistec. Creo que así lo quiero porque sé, obviamente, que es un lugar donde nos darán pura comida vegana.

Así es mi pensamiento. Salta de aquí para allá como una pelota de goma a punto de ser pinchada. Me acomodo de nuevo, pero sigo sin encontrar una correcta posición.

Todos parecen a gusto menos yo. Abro los ojos y los noto confortables, concentrados y apaciguados en sus posiciones de *yoguis* experimentados. En cambio, yo necesito mover las piernas para que fluya la sangre.

¿Cuánto faltará para terminar esta meditación? ¿Qué hora es? Dejé el teléfono en la habitación. En las reuniones está prohibido, también me lo dijeron. Quiero un caramelo. ¿Será que puedo sacar uno? Tengo alguno en el bolsillo, creo. Sí, ¡acá lo tengo! A ver. ¿Lo saco? No, debo hacerlo sin que me vean. Tienen los ojos cerrados, en efecto, y parecen estar en medio de un apacible trance. ¿Pero si resulta que están simulando? Puede que alguno lo esté haciendo como es debido; sin embargo, vaya mi sospecha por delante. Además, he notado que el chamán nos mira cada tanto para chequear nuestro proceso. Con él debo tener el mayor cuidado. ¿Qué pensaría si me ve sacando un caramelo? Dios mío, ¡cómo puede un pequeño antojo espolearnos el pensamiento de tal manera! Me remuevo en mi incómoda posición de meditador perturbado sin dejar de pensar en la golosina envuelta en papel al fondo del bolsillo de mi pantalón.

Al final, claro que me decido por no ceder a mi antojo. No podría con la vergüenza de ser descubierta. Además, resulta imposible abrir el paquete sin que se arme un alboroto.

Tragando saliva busco pensar con mayor claridad. Si a esto vine tengo que vivir la experiencia, ¿o no? Digo yo. Por lo poco que pude leer se trata de un lugar altamente recomendado para introducirse en estas prácticas.

Además, quería escapar de mi madre y de todo mi entorno, ¿no es cierto? Si estoy acá es porque indagué por

Internet, reservé un cupo, empaqué temprano y tomé la autopista.

—Aquietar la mente. De eso se trata. Atajarla. No dejemos que se convierta en un mono inquieto —dice el chamán.

Lleva el cabello largo sujeto atrás con una cola. Barba larga pero bien cuidada. A mitad del camino de los treinta, puede ser, pero aún no lo preciso enteramente.

Yo cierro los ojos para aparentar el seguimiento del ejercicio.

—Sé que es difícil, lo sé. Sobre todo, en este momento. El primer día es complicado porque la mente está muy cargada. Intentará sabotear y cuestionar todo porque los quiere proteger y preservarlos en el ego.

Lo escucho y pienso que quizá sea un poco más joven pero su aspecto lo hace ver mayor. O, tal vez, sea mayor pero su herencia marcadamente indígena lo conserva mejor que a una mujer caucásica como yo.

—No tengan miedo. Desechen la ansiedad. Este es un buen lugar para estar —dice el viejo joven—. Tómense el tiempo para aceptar y recibir las bendiciones. Somos un equipo de gente que comparte el objetivo de la evolución interior, sin apego a ninguna técnica en particular. Ponemos nuestra confianza en la liberación de la oración para que las personas puedan encontrar a su propio maestro interior.

Acto seguido, nos sopla tabaco en polvo por las fosas nasales.

—Con esto hallarán calma.

Me da un poco de cosquilleo y ganas de estornudar.

Debo aceptar el hecho de estar un tanto mejor, aunque no sé si llamarlo relajamiento. Más bien es una tensa calma, en la que apenas logro aguantar estas ganas horribles de fumar.

Desde que me enganché esos días en el asilo, no he parado. Más de una caja diaria, lo hago de manera compulsiva, como si lo estuviera haciendo desde siempre.

Al despertar, lo primero que hago es fumar, incluso antes de cepillarme los dientes. Lo más fuerte es que ahora toda actividad que proyecto, la hago asociándola con el tabaco.

Si digo que buscaré a Lucía al colegio, me imagino en el auto fumando un cigarrillo. Si pienso en mamá, la visualizo instalada frente a la ventana en su silla de ruedas mirándome a mí fumando en el jardín.

Es alucinante, pero no concibo mi vida si no es fumando. Y no solo eso, sino que cuando miro hacia atrás me veo, por ejemplo, conversando en la zona de Bellas Artes con Alejandro y en vez de café, un cigarro en la boca.

—¿Desde cuándo fumas tanto? —me pregunta.

—Desde hace cinco minutos —le digo mientras enciendo otro con el que se va terminando.

Pero en ese día aún no fumaba. Es como si estuviese falseando el recuerdo o colocándole otras capas a lo experimentado. Se supone que la memoria debería ser invariable y mantenerse más o menos acorde a una versión. Pero ahora no sé si es realmente así.

Creo que el hábito cala tan hondo que modifica nuestras estructuras mentales al punto de colocarnos en torno a lo que solemos pensar de nosotros mismos.

Por tanto, me cuesta concebir la vida sin el cigarrillo. De allí que cuando no estoy fumando y mi ansiedad se dispara, me imagino en cualquier estancia de mi vida con un cigarrillo en los labios.

Con tal desorden en el pensamiento, alzo un pequeño vaso con la infusión de ayahuasca y presento mis respetos.

***

Luego del segundo vaso comencé a escuchar susurros, sonrisas entrecortadas, llanto... Supe que allí venía, se acercaba eso que me iba a poseer.

Era un momento confuso. Creo que cuando no se está preparado para algo todo resulta en un enredo, en este caso mi torbellino espiritual era tal que lo que había tomado afloraría en un huracán; así lo supe desde el momento cuando lo ingerí. Lo cierto es que de repente me empecé a desencajar. Los miembros, mis brazos, mi cuerpo entero, todo dejó de coordinarse. No poseía ningún tipo de equilibrio.

Intenté caminar, pero mis piernas se movieron con independencia como unos péndulos. Por tanto, tuve que detenerme, intentar concentrarme. La verdad era que estaba luchando con aquello que se me venía encima.

Aclaro que nunca me he drogado. Si bien es cierto que la ayahuasca no es una droga, o, por lo menos, no lo es en la concepción de las sustancias psicotrópicas que conocemos, no es menos cierto, sin embargo, que las personas que hayan pasado por procesos de consumo de una droga que altere sus pensamientos, sean capaces de entender un poco mejor. Podrían dejarse llevar, ceder, digámoslo así, la potestad de su cuerpo.

Existe un momento en el cual hay que relajarse para aceptar que el efecto que atrapa tu cuerpo es lo que es. Tienes que respirar y adaptarte, permitir que te tome y haga su efecto. No obstante, en mi caso, como ya lo he dicho, me resistí. Sentí miedo desde el primer momento. No estaba dispuesta físicamente, mucho menos de manera espiritual.

Tuve lo que los chamanes llaman "un viaje oscuro". Es decir, cuando se toma la ruta en apariencia equivocada. Es como cuando estás ante un paso que se bifurca en dos caminos. Está por un lado el pavimentado y debidamente señalado. Ese es, en efecto, el que la gente recomendaría que sigas. Está el otro que da directo al bosque y por el que nadie en su sano juicio aceptaría caminar dado que se trata de un paso duro y fangoso. Los sabios indican que no es obligado tomar un camino u otro. Lo lógico estaría en andar por el que ya ha sido reconocido y recomendado.

Ahora bien, eso no quiere decir que el otro camino esté mal. Eso sí, hay que tener ciertas características, destrezas, conocimientos, habilidades y demás para andarlo. El peligro radica en que, si lo tomas por pura rebeldía o por no querer andar por el camino que te ha sido señalado, lo que se está manifestando es tu ego.

Es como si te fueras de excursión a un bosque o sitio muy remoto y no te prepararas a punto ni llevaras el equipo necesario. Asimismo, sucedió conmigo.

Primero, con total inconsciencia e insensatez tomé la decisión de participar en esto. Segundo, no bastándome tal situación, ni siquiera me di a la tarea de investigar para saber a ciencia cierta de qué se trataba o por lo menos para entender o conocer sus principios. Sin ningún tipo de conocimiento o preparación previa, me fui como una aventurera adolescente. Una díscola sin fundamentos que se lanza por ella misma al desastre.

Pero como toda experiencia cuando acontece es bendita, pues implica una vivencia que si la aceptas puede nutrirte; no me arrepiento. Por el contrario, si bien no sé aún para qué me sirvió, obviamente tocó unas fibras muy profundas en mi alma.

Pero bueno, lo cierto es que en esta primera sesión tomé el camino más difícil y peligroso. Me sentía al borde de un precipicio. Y en algunos momentos, quise saltar.

Yo tengo la plena seguridad de que el chamán nos orientaba con su palabra y conocimiento, pero yo no lo escuchaba. Es más, dejé de atender a todo lo que sucedía a mi alrededor.

Estaba tomada, poseída por un ente oscuro que sentía que se movía a sus anchas robándome un pedazo de mi alma. Esto mientras permanecía suspendida en el trozo del suelo que me sostenía.

Siempre he escuchado que no hay que dejar nunca una cuenta pendiente con un enemigo. Si quedan cosas abiertas, el odio se va nutriendo y el peligro es que esto en algún momento te tome. Eso fue lo que a mí me pasó: yo era mi propio enemigo. Tenía una cuenta pendiente con él (o conmigo) y nunca la había enfrentado. Y si bien una bomba con la mecha muy larga puede tardar años en explotar, en el momento que lo hace solo quedarán escombros y descalabro.

Jodorowsky dice al respecto que lo mejor siempre será ir desarmando la bomba. Así evitamos que explote y nos sepulte junto a quienes estén cercanos a nosotros.

"No hay que dejar amenazas de muerte a nuestro alrededor o en nuestro inconsciente".

En fin, yo no había desafiado a mi propio monstruo. Ya sé que he dicho que intentaba luchar contra esa Emma que ya no quería ser. Asocio que algo de lo que expreso ahora está relacionado con esa escisión respecto a mis dos personalidades en pugna. Pero lejos de luchar, lo que hacía era huir como siempre.

Claro que había cambiado o, mejor, había dejado aflorar ciertos aspectos de mi personalidad que desde siempre los había tenido reprimidos. Sin embargo, no había tenido la capacidad de comprender y aceptar que esas contradicciones eran ante todo la manifestación potente de mi ser queriendo liberarse de las cadenas que lo reprimían.

El problema es que yo no lo vivía así. Más bien era que tenía una inmensa rabia y furia contra mí misma y quería exterminarme. No estaba haciendo ningún tipo de ejercicio espiritual o introspectivo que me ayudara a canalizar mis emociones y tratar de dar el giro hacia el cual la vida me estaba empujando.

Cierto es que todo esto lo veo ahora, no porque haya alcanzado ese estado de sabiduría ligada a la acción, sino porque esa transmutación que tuve con la ayahuasca me hizo comprender muchas cosas. Comprendí que vivimos la mayor parte de la vida tratando de mantener atado los diferentes aspectos de nuestra personalidad que empujan para lados distintos.

Entonces, lo que hacemos es oprimirlos todos, los buenos y los malos, los demonios y los seres de bien que habitan en nosotros. Todo con el afán de preservarnos en una especie de personalidad estable y sumisa.

Ahora bien, en algún lugar de la estancia donde realicé la primera sesión de la toma, estaba yo aterrada viendo las imágenes que surgían de mi interior. Era como un nacimiento de entidades diabólicas de las cuales sin ninguna duda yo fungía como madre.

Primero fue como una sensación de alerta extrema. Como si todo lo que tocase fuera falso o amenazara con lastimarme. De repente, todas estas visiones de carácter psicodélico que se atribuyen al consumo de LSD y que se presenta en la primera etapa del viaje con la ayahuasca se hacían manifiestas. En mi caso eran luces que me estallaban en los ojos y me hacían mucho daño, al punto que creía que me dejarían ciega. Acto seguido, en vez de luces, los colores eran ese gran paquete de caramelos que quería comer desde hace rato. Salivando, desesperada como si en ello se me fuera la vida, me metí de cabeza en los caramelos. Los devoraba con una sensación de dulzor que me tomaba por completo. Introduje mi rostro y luego mi cuerpo entero. En medio de la gula y el aparente placer, comencé a sentir cómo se me adherían los caramelos a la piel. Luego, con gran terror, me di cuenta de que me atravesaban. El colapso llegó cuando invadida de toda esta sensación pegajosa los caramelos me "atacaron", por decirlo de alguna manera. Se pegaron a mi rostro hasta que, por supuesto, me atravesaron los ojos, momento en el cual comencé a gritar.

He allí que recuerdo a una sombra parada a mi lado (supongo que era el chamán) que me alcanzaba un cubo azul.

—Vomita —me dijo.

Y yo descargué una y otra vez toneladas de caramelos mientras sentía dolores peor que un parto en mi vientre. Nada más me acuerdo o no me quiero acordar de aquel primer encuentro.

No sé en qué momento terminó la sesión y qué fue de mí. Pero sé que me fui a dormir; dormí mucho. Soñé abundante y desaforadamente de todo y con todos.

Pero con quien más vívido y constante soñé fue con mi madre. Discutimos, nos recriminábamos cosas. Nos amenazamos una y otra vez con hacernos daño.

—Te voy a matar —le llegué a decir en algún momento.

Ella se rio.

—Si me matas te matas a ti misma —dijo.

Al otro día dormí cuanto pude. Tenía la sensación de no poder despegar mis párpados. Así estuve un buen lapso de tiempo que no podría precisar, entre el sueño y un llamado al avivamiento.

Intentaba abrir los ojos, pero la sensación de tener los párpados pegados persistía. Hasta que de pronto tuve la visión de los dulces atravesando la cuenca de mis ojos, por lo cual me palpé con terror la cara. Aún no caía en cuenta que, en realidad, era producto de la experiencia del día anterior.

Poco a poco fui entrando en la dinámica que me indicaba el día. Comí frugalmente algunas frutas porque la sensación o ganas de vomitar estaban aún presentes.

Disminuida de fuerzas participé en los ejercicios de meditación sin oponer mucha resistencia. Creo que la mala y extrema experiencia vivida me había roto una atadura, había derrumbado una pared, me había quebrado algo. Yo me encontraba entonces más que abierta, indefensa.

No tenía energías de luchar, ni de oponerme, tan siquiera de pensar. Me dejaba arrastrar como un animalito por lo que hiciera la manada. Sin embargo, me sentía de alguna manera más empática con el entorno.

A las personas que había visto, hasta con cierto desdén, el día anterior, se me antojaban entonces personas lindas y amables. Bien dispuestas para compartir.

Cuando meditaban yo abría los ojos para observarlos y ya nada me parecía falso. Sus rostros se habían lavado de no sé qué sustancia contaminante que los cubría la jornada anterior.

Mi pensamiento, lento y liviano, contrastaba enormemente con mi antiguo estado. No estaba feliz, no era eso, pero tampoco estaba triste. Era más bien una falta de emoción. No sé cómo decirlo o explicarlo.

Era una sensación de suavidad y de estar presente, sin reparar mucho en ello. Simplemente estaba allí. Veía los rostros de mis compañeros, escuchaba la voz del chamán que ahora sentía mucho más joven. Veía los rayos de luz que se colaban por la ventana y correteaban por todo el lugar.

Era eso y nada más. En ese momento no había pasado. No estaba ni Lucía, ni mi mamá. No pensaba en nadie. Si alguien hubiera preguntado por mi nombre seguramente no habría sabido qué responder.

A pesar de lo sucedido la noche anterior no me negué en modo alguno a la sesión de ayahuasca que haríamos ese día. Y es que tampoco había reparado mucho en lo vivido.

Eso lo hago ahora meditando al respecto. Pero cuando se está muy cercano a lo experimentado, el alma siente, mientras la mente poco a poco se reacomoda.

Son los días que se van llenando de imágenes. Y lo que me había pasado, apenas veinticuatro horas antes, lo fui reconstruyendo algún tiempo después.

Inició, en efecto, la segunda toma. Esta vez sin miedo ni expectativas, con la mente en blanco. Bebí y me senté como esperando la visita de alguien. Eso era lo único que tenía en la cabeza.

Tenía la certeza o la intuición, mejor, de que alguien llegaría a visitarme. De que una persona que desde hace mucho tiempo no veía estaba por llegar. No tenía idea de quién sería.

Me quedé sentada tranquila y sin oponer resistencia. Sin esperar nada. Pero en ningún momento se me atravesó un pensamiento oscuro o un temor latente.

Era yo esperando que alguien llegase. No era que tuviese certeza porque ello denotaría expectativas. Era que, sin pensarlo mucho, me senté a esperar y nada más.

Poco a poco, me di cuenta de que el lugar no era el mismo. Un bosque de colores y sonidos intensos me circundaba. Sin tocar lo sentía todo. Sin querer me había vuelto parte de todo.

De alguna manera, yo era los árboles y los peces que nadaban en el río. No sé cómo, pero podía sentir el aleteo de las aves, incluso el cosquilleo de un gusano al deslizarse sobre la tierra mojada.

Me miraba los brazos y mis vellos eran como el césped que crecía y mi cabello una especie de ramas de algún árbol frutal. Mis ojos, el de las águilas, y mi agilidad, la de los conejos.

No era felicidad, la felicidad es un principio activo que requiere de nuestro entusiasmo y dedicación. No, era más bien tranquilidad, la tranquilidad de un animal que vive sin tiempo.

Miraba a mi alrededor y todo estaba bien, era perfecto. De pronto se oscureció el cielo y comenzó a llover; también eran mis ojos los que llovían. Lloraba por el campo, por las laderas de las montañas. Lloraba sobre el refugio de los pequeños animales. Inundaba los hormigueros, me mezclaba con la arena y me volvía fango. Lloraba sobre el río y me transformé también en la corriente. Y lloré, lloré como no lo hacía desde los cuatro años.

Hay un llanto sanador que se lleva de nosotros los residuos. Hay un llanto hermoso que limpia el canal de nuestra alma. Hay un llanto que nos alivia porque conmueve los cimientos del espíritu.

Así fue mi llanto. Un momento que quebró la represa que almacenaba todo ese mar en mi interior. Nunca lloré, ni de miedo, ni de dolor, ni de alegría. Asumí la condena de unos ojos secos y de un corazón desierto.

Después de la muerte de Juan, hubo un episodio que ahora recuerdo. Mi padre llegó a casa sin haber bebido ni una sola gota de alcohol. Mi madre con las ventanas abiertas limpiaba la sala iluminada.

Era un lindo día de primavera y ella cantaba algo de Frank Sinatra de una manera tan melancólica e inspirada que era imposible no sentirla en lo más adentro de la sensibilidad. Se veía hermosa.

Mi padre llegó, la miró a los ojos y le pidió perdón. Ella que, por supuesto, no se lo esperaba, lo abrazó y comenzaron a llorar. Yo, mirándolos, no pude evitarlo y también lo hice con la inconsciencia de una niña que es, a la vez, la empatía más fuerte del mundo.

Es el único recuerdo de este tipo que tengo guardado. Tan aprisionado en los archivos de la memoria que hasta ese día de la toma no había vuelto a aparecer.

Llovía aún en mis ojos y yo era el bosque inundado de mi propio llanto. Pensé en mi padre y de pronto lo vi aparecer como en ese día que acabo de evocar, completamente en sus cabales, bien vestido y acicalado, tan guapo como lo recuerdo de mi primera infancia.

—Llegaste —le dije.

—Acá estoy. ¿Acaso no me estabas esperando? —me dijo sonriente, y sus dientes eran un sol que le iluminaba el rostro.

—Sí.

—Entonces, ¿por qué lloras?

—Porque estoy feliz.

La ayahuasca me quemaba el pecho y la espalda. Podía sentir un ardor divino.

Mi padre al notarlo, comentó:

—Ese es el dolor que estás sanando.

—¡Papá!

Y lo abracé fuerte. Y fue tan real como lo es todo esto que pienso y escribo.

De pronto tuve de nuevo cuatro años y mis pies no llegaban al suelo. Mi padre me tenía fuertemente agarrada en sus brazos y por nada del mundo me dejaría caer.

Todo lo que vinimos a hacer en esta tierra se resume en el amor compartido que podamos establecer con alguien. Es allí cuando todo recobra el sentido.

—Te extrañé mucho, papi.

—Pero si yo siempre estoy contigo.

Me sentía el corazón inflamado con todo el dolor acumulado de la vida que he llevado.

—¿Lo estoy haciendo mal o bien, papá?

—No te puedo decir qué es lo bueno o lo malo, hija querida. Tienes que aprender de todas las cosas que te están pasando.

Hablamos como amigos, hablamos como hermanos, hablamos como un padre y una hija. Era el visitante que siempre había esperado, incluso ahora sé que estaba ahí, pero era yo quien no le veía porque en el fondo no tenía la fortaleza para hacerlo.

Pero sí lo había podido hacer. No fue un invento de mi imaginación ni una alucinación. Estaba en mí y la ayahuasca lo sacó a flote. Hay que aprender a vivir y para mí eso ha sido un arte inconcluso.

Todo lo que he hecho en mi vida cotidiana ha sido tratar de olvidar de lo que estoy hecha. He tratado de olvidarlo porque con ello pensaba que me sanaría y dejaría todo lo que me atormentaba.

Sin embargo, no se trata de olvidar. La curación está en reconocer todo lo acontecido, aceptarlo como algo que ya pasó y entender las circunstancias en la cual transcurrieron los hechos. Solo así podremos reacomodar nuestra emocionalidad para seguir adelante.

—Tengo que aprender a vivir con esta ausencia.

—Mientras estés consciente de las cosas y no le tengas miedo a tu pasado, nunca te volverás a sentir sola.

Luego de esta maravillosa experiencia, terminé el retiro espiritual, pero había algo en mí que no quería volver. Ahora lo veo con claridad.

Después de todo lo sufrido, la experiencia con la ayahuasca sin duda había sido liberadora. No obstante, indicaba el principio de un camino, nunca jamás el camino en sí.

Es fácil tener una fuerte experiencia, además, ayudada por alguna sustancia, sea la que fuere. Ahora bien, lo difícil es no caer en el embrujo de querer seguir en ese trance divino.

Estoy segura de que lo que viví eran cosas que latían en mí y que la hierba lo que hizo fue servir como puente catalizador. De no haberlo hecho ¿cómo hubiera llegado a sentir lo que experimenté o a vivir el contacto con mi papá?

A partir de allí, comencé a entender que el proceso sería largo y que ameritaba una gran fortaleza. Pero no estaba dispuesta, quería seguir siendo la niña que colgaba de los brazos de su padre.

Pasé días meditando en esto. Y llegué a la conclusión de que tenía que hacer las paces con mi madre. Tenía la sensibilidad a flor de piel, así que, por primera vez, pude pensar a mi madre de manera distinta y hasta sentí compasión por ella.

Conduje de vuelta a la ciudad y en el camino encendí el teléfono celular. El primer mensaje que entró era del asilo indicándome que ella había muerto.

Recogí a Lucía y nos fuimos a casa. Se quedó dormida en el sofá, la cargué y mientras la acostaba en la cama le susurré al oído:

—Tú eres mi niña, y yo soy tu madre. Que la Gran Fuente derrame sobre ti su protección y que nunca te falte mi amor. Amén.

Comencé a fumar de nuevo, luego de tres días en el retiro. Me desnudé, me metí al baño y bajo el chorro de agua me puse a llorar; pude llorar otra vez.

Capítulo IV

El comienzo de la sanación

Hasta que no hagas al inconsciente consciente,
seguirá dirigiendo tu vida,
y tú lo llamarás destino.
Carl Jung

A veces sentimos que tenemos algo ganado con respecto a nuestros antepasados. Estamos vivos y ellos no. Sin embargo, se nos olvida que ellos viven en nosotros, en cada una de nuestras células, de manera tan real como se refleja nuestra imagen frente al espejo.

En los últimos días, he pensado mucho en esto. Todos los que me han antecedido, siguen estando en lo que soy y seré el resto de mi vida. Que uno nunca vive solo por más desamparados que nos sintamos. Que uno es tan solo un fruto en el árbol genealógico de otra vida. Así lo expresará Lucía en una cartelera que llevará al colegio. Pondrá mi foto y mi nombre al lado de la foto de Richard.

Allí estará mi hermano. Y, por encima de nosotros, mis padres, mis abuelos, mis bisabuelos... En esa matemática ancestral que tanto nos determina.

Se dice que si contamos once generaciones a lo largo de trescientos años, sumaremos un poco más de cuatro mil personas. Y se sabe que nuestra especie apareció en escena hace doscientos mil años.

Es decir, nos precede algo más o menos que siete mil generaciones. ¿Y dónde están todos esos ancestros? Esas huellas nos habitan el alma, todas esas vidas siguen corriendo por nuestras venas, por decirlo de algún modo.

Entonces de qué estamos hechos. ¿De tiempo? ¿De vidas? De persona en persona se ha configurado nuestro actual momento. ¡Cuántas caras! ¡Cuántas combinaciones configuran nuestra fisionomía!

Esto, lejos de hacerme sentir insignificante, me da la sensación de pertenecer. Pertenezco a la historia porque es ella la que me ha hecho. Debo cargar esa herencia; no como un peso, sino como un valor.

El tesoro que habita en mí es el brillo de la vida. De una humanidad que se resuelve en cada uno de mis pasos y evoluciona en las circunvalaciones de mis días.

Yo soy la Eva mitocondrial del África subsahariana. Pero también la hembra que aún no ha nacido y que ya se debate en las entrañas de las nuevas generaciones.

Mi vida es un valor transgeneracional que no se expresa de manera individual, sino que corresponde a una cadena interminable de hombres y mujeres que con su impulso han logrado permanecer como especie. Y así vamos empujando hacia delante.

Todo esto me ha tomado por entero en los últimos días. Luego de mi experiencia con la ayahuasca, una incontinencia de sentires y saberes me ha asaltado como un millón de soles a una noche oscura.

La luz ha sido tal que me ha herido los ojos. Y he llorado, no he parado de llorar. Lloro ahora por todo. Creo que el río va reclamando un cauce y hasta que sus aguas no soporten la embarcación de mi gran excelsitud, dudo que deje de hacerlo.

Lucía, extrañada al principio, se ponía triste cuando me veía en tales actitudes. No obstante, ahora bromea al respecto y si al enseñarme algo no percibe en mí algún indicio de llanto, se cruza de brazos.

—¿No vas a llorar? —me pregunta.

—Deja ya —le digo y bromeo con el ademán de darle una nalgada.

Y nos reímos. He allí, también sonrío llorando.

Cuando me mostró la cartelera terminada con el árbol genealógico y vi encima de mi foto las de mis padres, no pude contenerme. No era que estuviese embargada de tristeza, sino que mi ego se empequeñeció de tal forma que casi desaparecí y me sentí como un fluido, tal como las lágrimas que por sobre mis mejillas se deslizaban.

De pronto, cobró en mí gran importancia y total claridad aquello que leí hace poco de Amos Oz, acerca de la carga de nuestros padres en nosotros. Él dice que los llevamos no sobre nuestros hombros, sino en el interior.

Sí, como esa muñeca rusa, la famosa matrioska, que lleva dentro otra, y dentro de aquella, otra más, y así sucesivamente. Llevamos nosotros también, todo nuestro cortejo. A nuestros padres, y a los padres de ellos... Y así hasta la última generación.

"Vaya a donde vaya lleva padres en sus entrañas. Cuando se acuesta lleva padres en sus entrañas. Cuando se levanta lleva padres en sus entrañas, tanto si se aleja como si se queda donde está. Noche tras noche comparte con su padre y su madre su cama y su lecho hasta que le llega la hora[3]".

Vi a mi madre. Su foto de joven que es como más la recuerdo estaba junto a la de mi papá. Es curioso que hasta en sus últimos momentos siempre pude ver en ella a aquella mujer joven de mi infancia.

Puede que se deba a que, como me dijo una amiga, los años en nosotros corren en la exterioridad, no siempre en consonancia con nuestro interior. Cuando tenemos sentimientos irresolutos nuestra edad emocional queda fijada o detenida en los años en los que se precisa el agravio.

Sea como fuere, siempre vi a mi madre joven, así como en la foto de la cartelera de Lucía. Mi madre vieja, la del asilo y los últimos años, tan solo fue una circunstancia. Para mí siempre ha sido joven.

Fallecida y viéndola ahí junto a la foto de mi padre me doy cuenta de que a pesar de todo nunca dejaron de ser esposos. Los errores que cometemos en vida, sin duda, los pagamos duramente.

Ahora bien, hay actos y vínculos que trascienden cualquier coyuntura. Ciertamente, el vaso de cristal que se resbala de las manos se quiebra en el piso y salpica el agua, pero la esencia que le dio la imagen que del vaso tenemos no se borra. La impronta de su forma queda para siempre en quien lo vio y, sobre todo, en quien lo utilizó. Por tanto,

---

3 Amos Oz, *El mismo mar.*

nunca dejará de ser un vaso. Un vaso roto, sí, pero un vaso por siempre.

Es así como percibo los vínculos entre nosotros. Si yo me muero mañana no dejaré por ello de ser madre. ¿Cierto? Asimismo pienso es el matrimonio de mis padres. En su caso eso de "hasta que la muerte los separe", no tiene asidero. De ello me doy cuenta cuando veo juntas sus fotos una al lado de la otra. Debajo está la de Juan y la mía, los dos, niños. Así nos veo como una familia congelada para la eternidad.

Es solo una manera de sentirlo, lo sé. En el fondo entiendo que no es saludable, pero me aferro a ello porque mi sensibilidad hasta ahora no me ha permitido otra cosa.

Sin embargo, la conversación con mi padre me ha hecho entender que las personas siguen evolucionando más allá de la muerte, que simplemente es algo circunstancial. Así lo creo.

El hecho de que lo haya visto joven es porque así yo lo he determinado. Él pudo aparecerse niño, joven o viejo, da igual, porque esas categorías las impongo yo desde este plano.

Pensando en eso, me doy cuenta de que aquellos episodios con mi hermano eran quizás el esfuerzo de mi inconsciente por tratar de evolucionar un recuerdo que había permanecido como una roca muy pesada, obstruyendo el fluir del tiempo. No lo sé. Realmente no lo sé.

Lo cierto es que no debo encerrar mi presente en la jaula del pasado. No debo encerrar el pasado en una pecera con peces disecados. Lo que llamamos tiempo cambia, sí, respecto a la vida y a lo ultraterreno. Eso creo.

Así, entiendo que lo de las fotos es un artificio que se corresponde más con mi sensibilidad enferma y atrapada que con lo verdadero. ¿Pero cómo sobrepasar eso?

Somos un colapso de ondas de información, somos la materialización de una parte ínfima de la información que el universo contiene en lo que llamamos el campo o matriz. Somos creadores de nuestra vida, y lo hacemos de una forma inconsciente.

Nuestra realidad solo es un aspecto de la infinidad de realidades que podemos vivir. Nuestra mente, que nunca deja de crear a través de los pensamientos y sentimientos, se expresa en este campo cuántico y nos hace vivir una realidad, aunque no somos conscientes de que la estamos creando nosotros.

En todo caso, hay que vivir con el pasado, pero no como algo estancado. El pasado también se renueva, se reinterpreta y se revive de nuevas maneras. Hay que entenderlo para cambiarlo o modificar los detalles.

El pasado no se puede sepultar, ni olvidar, ni nada de eso. Freud dijo que había que matar al padre. ¿Y qué si no matamos ni al padre ni a la madre? Creo que hay que entrar en ellos para comprenderlos y absorberlos.

Hay un dolor que activa la memoria y es a ese dolor al cual me enfrento cada vez que pienso en ellos, porque lejos estoy de la sanación. Por eso es que al escribir estas líneas no lo hago como un ejercicio literario, sino más bien como un acto de exorcismo.

Quiero depurar mi ser y para hacerlo tengo que comenzar por buscar las causas de mis padecimientos. Se lo debo a mis ancestros, sí. Se lo debo a mi hija, también. Pero sobre todo me lo debo a mí.

Soy los ojos con los cuales la creación se observa a sí misma. Soy el dios capaz de crear múltiples posibilidades. Derrumbar para crear, podría ser mi nueva consigna.

Lo primero que he pensado hacer es dejar definitivamente mi trabajo en la universidad. Ya lo he decidido. Pedí mi año sabático para más nunca volver y esta, creo, es una decisión irrevocable.

No sé realmente qué es lo que estoy buscando, pero siento, no obstante, que sea lo que sea, ya no hay marcha atrás. Muy dentro de mí siento la necesidad de limpiarme, de ejercitar mis fuerzas anímicas y psíquicas.

¿Cómo lo haré? Aún no lo sé. Sin embargo, siento una energía que me fluye desde muy adentro y que no da espacio para concesiones. Es ahora o nunca.

Si alguna vez han sentido la hora apremiante para el cambio, seguro me entenderán. Existe un momento definitivo donde todo se junta y se crea como un embudo donde se filtra la existencia.

Yo me encuentro ahora en ese momento. Sé que debo hacer algo radical. En esto estoy a ciegas, pero no me importa. Será lo que tiene que ser. Pero debo aspirar a algo mayor.

Como dice Grillot de Givry: "Si has colocado tu ideal en el fango, no puedes pensar en la sublimación, en la transmutación definitiva, en la salida del infierno terrestre[4]".

***

He estado atendiendo a un viejo deseo que había postergado por múltiples razones. Es increíble lo necio que podemos tornarnos frente a nuestras propias necesidades.

Siempre he tenido afición por la repostería. Desde pequeña ha sido un don único, puesto que nadie me ha enseñado. Era una de las pocas actividades que mi madre apoyaba sin cortapisa. Le fascinaban las tortas. Aparte de esto no tengo ningún otro recuerdo donde me estimulase o me felicitara y manifestara agrado y complacencia por lo que hacía.

Lo cierto es que llevo semanas preparando recetas que guardo en un cuaderno como si de un grimorio se tratase. Me ha ayudado a aliviar la inmensa ansiedad que aún embarga mi ser.

---

4 Grillot de Givry, *La gran obra.*

He llorado mucho, ya he dicho. Pero también he podido conciliar el sueño, tanto que incluso hay momentos en los que me cuesta dejar la cama para afrontar las responsabilidades que demanda el día.

A todo esto, he sumado la repostería como un canal de enderezamiento. Es decir, un vehículo, podría decirse, por donde expresar mi necesidad de equilibrio y armonía.

Lo asocio mucho con la alquimia. Así me veo, como una Paracelso de la pastelería. Yo no he logrado la transmutación del plomo en oro, pero sí cambiar la acritud de mi espíritu en el dulzor de un postre. No solo siento placer en la preparación, cosa que me alivia y me saca de mis pensamientos oscuros. Incluso cuando lo hago es el único instante en el cual abandono el deseo por el cigarrillo.

No solo se trata de la preparación, decía, sino del placer profundo que siento cuando alguien consume lo que preparo. Es una especie de comunión con el otro lo que realizo.

Creo que las sustancias implícitas en la receta, trátese de azúcar, harina, chocolate, o lo que fuere, se transmutan y se convierten en otra cosa que se sumerge en el gusto de los comensales y contribuye a que sienta paz, placer... Así lo entiendo yo.

Para mí, cada vez que hago una preparación es como penetrar en los secretos de una alquimia transcendental, es decir, la alquimia de uno mismo. Creo que más que los ingredientes en sí mismos, una receta funciona siempre y cuando quien la prepara alinea su alma con ello.

Y es que, para llevar a cabo la alquimia de los elementos, como he querido hacer entender, es necesario la buena disposición del chef. En este orden lo entiendo: la nobleza de la obra exige la nobleza del operario.

En poco tiempo he logrado una cartera de clientes para colocar mis tortas. Lo cierto es que, a pesar de ser un negocio en pininos, auguro que podré tener éxito.

—¡Qué desperdicio! Abandonar tu carrera como profesora e investigadora química para dedicarte a los dulces. De veras, cada vez estás más loca —me recrimina Richard.

Sin embargo, no dejo que eso me perturbe porque, por primera vez en mi vida, estoy sintiendo cómo se alinean mis saberes con mis gustos. Quien no vea la relación entre la química y el mundo de los alimentos, en este caso, los postres, es porque no entiende lo que se expresa frente a sus ojos.

Por primera vez, repito, le encuentro un sentido práctico a lo que he aprendido en la universidad y en el desempeño de mi carrera. Y es que si la química estudia la materia, su composición, sus propiedades y las transformaciones que esta experimenta, indudablemente esto se aplica a lo que ahora mismo llevo a cabo, muy lejos, eso sí, de las aulas de clase.

Es por ello que, cual investigador, he armado mi cocina de balanzas, medidores de volúmenes y otros tipos de herramientas que, igualmente, podríamos encontrar en cualquier laboratorio.

Cuando hago una torta, un número determinado de átomos da lugar a moléculas diferentes. Distintas cantidades de un mismo ingrediente no conseguirán el mismo resultado. De eso se trata.

Ciento cincuenta gramos de harina de trigo. Media cucharadita de sal. Una de azúcar. Seis de mantequilla. Cuarenta y ocho gramos de manteca vegetal. Dos cucharadas de vodka y un poco de agua fría. Cinco plátanos maduros, leche, nata, huevos, maicena, vainilla y jugo de naranja.

Esa es la alquimia. Con ello logro la tarta de crema de plátano. ¿Acaso no suena como un milagro?

***

He pasado varios días caminando por la zona bohemia de la ciudad. He tenido la secreta convicción, la intención, realmente, de encontrarme con Alejandro.

He estado pensando mucho en él. No sé por qué, pero siento que necesito encontrarlo. Quiero conversar con él o, más bien, quiero escucharlo hablar. Es como si, en mi imaginación, él gesticulase con la boca, pero no expresa sonido o soy yo quien no puede escucharlo.

Desde aquella vez del café y la breve conversación no me lo he vuelto a topar. Lo he buscado en las redes, pero no he dado con su perfil; supongo que prescinde de todo eso y es a la manera de la vieja escuela como me lo podría encontrar.

No sé hacia dónde apunta mi necesidad, pero lo cierto es que, últimamente, me estoy abriendo al misterio de la intuición. He procurado darle apertura a eso que muchos llaman mirar hacia dentro.

Cada vez más me convenzo de que poseemos una percepción sensible que es capaz de descubrir un conocimiento intuitivo de la realidad. Esto se da de manera directa e inmediata sin la intervención de la deducción o el razonamiento.

Guiada por esta difusa convicción, me adentro en la zona de Bellas Artes. Reparo con atención en cuanto personaje excéntrico se cruza en mi camino. Y créanme que no son pocos los seres capaces de endilgarse tal atributo.

En fin, luego de un largo recorrido, me siento en el mismo café donde estuve aquella vez primera. Y bajo el efecto de dos tazas enormes y media caja de cigarrillos he aguardado algún encuentro fantástico.

Así he estado durante dos horas aproximadamente, en las cuales he revisado Internet desde mi teléfono, investigando acerca de algún lugar o instituto que me ayude a dejar de fumar.

Por supuesto que lo hago mientras fumo. Pero no he conseguido gran cosa. Tampoco sé si realmente es eso lo que necesito. La verdad es que me encanta fumar.

Cuando vuelvo a la ilusión fatigosa de las responsabilidades que poco a poco he dejado atrás, el cigarro aparece como un compañero ideal en mis hondas meditaciones al respecto.

¡Qué me importan unos dientes un poco más amarillos! ¡Qué tanto me puede importar una piel un poco más reseca! ¿Estos son planteamientos que la gente toma como argumentos en contra del tabaquismo? ¡Por Dios!

He conseguido una línea de ayuda del Instituto Nacional de Cancerología. Pienso en el efecto que podría tener una conversación del tipo: ¿sabes cuántas sustancias cancerígenas están presentes en cada bocanada de tabaco?

Esas cosas me tienen sin cuidado, la verdad. Creo que simplemente sucumbo a la opinión de que el tabaco es malo y, a costa de lo que sea, hay que dejarlo. Quizá sea verdad, pero si es un problema de salud pública, como usualmente se comenta, por qué aún puedo comprarlo en cualquier esquina. Mis pulmones pueden que se enfermen, pero el verdadero cáncer es la sociedad.

Entonces comienzo a toser. Un ataque de tos como nunca antes. El mesero se me acerca, me ofrece un poco de agua y me pregunta si estoy bien.

—Creo que debería dejar el cigarrillo. ¿Nunca lo ha pensado?

Me guardo mis palabras para no ofender al muchacho, tan idiota. Y Alejandro, nada que aparece. Pago la cuenta y me marcho del lugar no sin antes fulminar con la mirada al entrometido mesero.

Ya en mi auto comienzo a deambular por zonas que nunca antes había visto. Es impresionante cómo una ciudad puede mostrarte una cara diferente a la que habías visto toda la vida.

Lo único que hace falta es mirar hacia otro lado. Pasamos gran parte de nuestras vidas apuntando siempre hacia las mismas direcciones. Desde que abandoné mi rutina en la universidad y se acabó mi responsabilidad con el asilo y mi mamá, he tenido tiempo de sobra para mí misma.

Cada vez me aventuro más por esos lugares que antes ni siquiera me hubiese permitido acercarme. Así, sin más, por primera vez, como todo lo que ahora hago, me sumerjo en una zona de bares. Termino en una barra cualquiera tomando algunos tragos.

Para mí es sin duda una fuerte aventura, pero caigo en conciencia de que debo tener cuidado, puesto que la verdad no estoy nada habituada a tomar licor. Intento pasar como alguien normal. Es decir, no es que llame especialmente la atención, pero trato de comportarme tal y como lo haría alguien habitual (o así lo pienso yo).

Lo cierto es que pronto me voy sintiendo más desenvuelta. Después de todo, como que el licor no está del todo mal. ¿Cómo decirlo? Me hace sentir ligera y capaz.

Más a mis anchas, recorro con la vista el lugar no muy concurrido. Una pareja baila al fondo y unos sujetos como sombras, dispersos aquí y allá. Unas luces de colores tratan de imprimir un poco de alegría al lugar, pero, más bien, no encajan en este sitio algo mohoso y lúgubre.

De pronto me doy cuenta de que un hombre me mira fijamente. Lo hace sin ningún tipo de pudor. Yo le retiro la mirada con algo de incomodidad y me refugio en otra cerveza.

Sin embargo, siento como si su mirar me traspasase y, a pesar que le doy la espalada, puedo sentir que, en efecto, me sigue observando. Mi corazón se acelera, pero de dos o tres tragos más me voy haciendo más dueña de mí. Enciendo otro cigarro y bajo no sé qué hechizo volteo directo hacia el hombre.

Un tipo rondando los cuarenta, pienso yo, con una calvicie bastante pronunciada. Un hombre con ojos amargos y penetrantes, con rasgos de persona tosca y dura.

Lo miro fijamente sin turbarme. Él, impertérrito me apunta la mirada con cierto descaro, diría yo. Me levanto, entonces, y al caminar me cuesta un poco estabilizarme, pero lo hago bien. Él se levanta también. Puedo sentir cómo me sigue y una fiebre en mí me atraviesa todo el cuerpo.

No puedo decir, exactamente, qué es, pero en plena calle aminoro el paso con el deseo oscuro de que me alcance. No sé por qué, pero quiero que me encuentre.

Me detengo y, por puro instinto, reviso el móvil que tengo silenciado. Para mi sorpresa, descubro que hay una llamada entrante de un número desconocido.

—Aló.

—¿Me estabas buscando?

No lo puedo creer, pero de inmediato reconozco la voz de Alejandro.

—¿Cómo conseguiste mi número telefónico? —es lo que alcanzo a preguntar en medio de mi perplejidad.

—¿Eso es lo que querías preguntarme? ¿Es eso lo que realmente quieres saber?

—Yo no quiero saber... No lo sé.

—¿Dónde estás?

Sin atinar a decir nada me dice que lo pase buscando de inmediato. Yo le obedezco con total sumisión, mientras le desvío la mirada al hombre que pasa a mi lado y sigue de largo.

Rato después, Alejandro me hace conducir hacia el cementerio donde reposan los restos de mi madre.

—¿Qué andabas buscando en ese bar?

—No lo sé. Déjame en paz, por favor.

—¿Desde cuándo bebes tanto?

—Desde hace cinco minutos.

A pesar de la tensión este comentario nos hace reír a carcajadas.

—¿Para qué vamos al cementerio?

—Es hora de que hagas tu primer acto de psicomagia.

—¿Qué dices?

—Ya lo verás.

Caminando por entre las tumbas, a esta hora de la noche, me siento como en una película de terror de bajo presupuesto. Bueno, la verdad es que con Alejandro no me siento temerosa. De alguna manera sé que nada malo va a pasar.

Damos con la tumba de mi madre que conserva las flores que le coloqué el día de su entierro.

—Bueno, ¿y entonces? —pregunto yo.

Él me explica que es hora de que le diga todo lo que tengo acumulado.

—Vamos, Alejandro, ya es muy tarde, tengo frío y además estoy borracha.

—Es el momento, Emma. Te traje acá porque lo necesitas hacer.

—¿Qué necesito? ¿Hablarle a una tumba?

—No. Es a tu madre a quien le hablarás.

—Pero ya está muerta. Es muy tarde.

—No. Dile lo que sientes, lo que tienes acumulado. Ya no te lo guardes. ¿Te hizo daño? ¿O acaso tendrás esa patética cara de víctima para toda la vida?

—Déjame en paz.

—No. Si quieres seguir siendo la pobre niña abandonada que sufre por los otros y que su madre no corresponde, toma las llaves del auto y trasládale esa enfermedad a

Lucía. Pero, te digo algo, este es el momento y la hora para desahogarte.

—Déjame en paz, Alejandro. ¿Qué le puedo decir? Tengo ganas de vomitar.

—Vomita, eso es lo que tienes que hacer. Pero vomita con palabras.

—¿Qué quieres que diga? ¿Qué tengo que decir?

—No lo sé. Tú eres la que sabe.

—Yo no tengo nada que decir, Alejandro. Todo esto es una mierda. Déjame en paz.

—Díselo a tu madre.

—¡Déjame en paz!

—Díselo a ella. Allí la tienes en frente.

—¡Déjame en paz!

—No. Díselo a ella.

—Déjame en paz. Maldita sea. Ella no me quiere. ¿Por qué nunca me quiso? Me alegro de que se haya muerto, me arruinó la vida.

—Eso es. Está bien. Sigue.

—No, no está bien. ¡Cómo no va a querer una madre a su hija!

—Díselo a ella, Emma. No a mí.

—Sí, se lo digo. Fuiste una mala madre. Jodiste a mi papá y me jodieron a mí. Yo siempre hice todo por ustedes. ¿Y tú qué? ¿Cuándo estuviste para mí? Ni siquiera fuiste capaz de decirme nada, fuiste tan cobarde que lo único que hiciste fue escribir un libro. ¿Ese es tu legado? ¿Eso es lo que querías? Mira en el pedazo de mujer que me he convertido. Me secaste mamá. ¿Por qué? Yo no tenía la culpa. Yo solo era una niña. ¡Tú tenías que amarme y atenderme! ¿Por qué no lo hiciste? ¿Qué te hice yo de malo? A pesar de todo, te cuidé hasta el final. Pero tú, tú nunca hiciste nada por mí, solo maltratarme y acomplejarme. Te odio.

Como poseída escupo sobre la tumba, me lanzo sobre ella y la golpeo entre sollozos.

—Te odio. Te odio.

Y ya no supe de mí. Lloré como una niña pequeña durante no sé cuánto tiempo.

Alejandro me abrazó.

—Está bien, Emma. Lo has hecho muy bien.

Acto seguido, me pasó un tarro de miel y me ordenó que sobre la tumba le escribiera: “Te amo y te perdono, madre mía”. Y así lo hice.

Creo que entré al cementerio siendo niña y salí como la adulta que ahora soy. En el camino, Alejandro y yo apenas si cruzamos alguna palabra. Cuando lo dejé en su casa, al bajar me dijo:

—Mañana prepara el mejor pastel de crema de leche que hayas hecho en tu vida porque te voy a invitar a un lugar muy especial.

Capítulo V

La buscadora

Cierro los ojos y sueño la locura.
Un estar para siempre con los fantasmas amados,
llámese paraíso, vientre materno
o lo que el demonio quiera.
Alejandra Pizarnik

El psicodramaturgo y escritor argentino Jorge Bucay describe en su cuento *El buscador* a un hombre que se encuentra caminando hacia una ciudad. No sabe lo que allí le espera porque, en el fondo, no conoce muy bien lo que está buscando.

La base de su movimiento no le viene desde la certidumbre sino, más bien, desde la intuición. Él parte del principio de seguir sus impulsos, las sensaciones que lo invitan a seguir hacia delante.

Y es que, para Bucay, el que busca no necesariamente es alguien que sabe exactamente lo que encontrará. Este autor nos dice que el meollo de la búsqueda es, precisamente, la vida y no otra cosa. El protagonista del cuento, se dirige, como ya lo he dicho, a una ciudad extraña. Lo deja todo y parte hacia ella con una esperanza incierta, pero con el ánimo indetenible.

Lo cierto es que en el camino se topa con un lugar sumamente hermoso que lo subyuga y conmueve. Es así, entonces, que bajo una especie de encantamiento y deslastrado, de pronto, de aquel primer objetivo, decide descansar en el lugar ahora encontrado.

Se adentra en el paisaje y con sus ojos de buscador mira de un lado a otro, intentando percibir los detalles. Descubre entretanto un conjunto de piedras talladas que le llaman, en especial, la atención.

Reparando en tal hallazgo, se da cuenta de algo más asombroso, y es que en las piedras están escritos unos mensajes que especifican los nombres de personas y unas fechas bastantes particulares de su tiempo de vida, y considera que esas hermosas piedras son, en verdad, lápidas funerarias. Es decir, allí se encuentran personas enterradas, lo cual le causa una terrible impresión.

Lo que más le conmocionó fue la lectura de las inscripciones. Todas tenían precisados los años, meses, semanas y días del tiempo que vivieron los ahora fallecidos.

Por ejemplo: "Abedul Tare, vivió ocho años, seis meses, dos semanas y tres días"... Y así se podía leer en las otras. Lo sobrecogió el hecho de que todos, sin excepción, contaban con estos pocos años. El que más había vivido si acaso superaba los once.

Todo esto lo afligió enormemente. El sentimiento de pesar lo hundió por completo, por lo que no pudo más que echarse a llorar allí mismo donde estaba. He aquí que se le acercó el cuidador del cementerio y, sorprendido le preguntó el porqué de su aflicción. El buscador le explicó suponiendo que su justificación sería suficiente. Sin embargo, el cuidador al entender lo que pasaba, sintió conmiseración del hombre. Le explicó que en aquel lugar, cuando los jóvenes cumplen los quince años, se les suministra una libreta que llevan colgada al cuello para que allí anoten a partir de entonces cada momento que disfruten intensamente junto al tiempo que ha durado ese gozo. Por tanto, eso es lo que ha leído nuestro pobre y acongojado buscador en cada una de las inscripciones que decoraban aquellas piedras. Cada gozo, cada sentimiento pleno e intenso...

"Y cuando alguien se muere, es nuestra costumbre abrir su libreta y sumar el tiempo de lo disfrutado, para escribirlo sobre su tumba. Porque ese es, para nosotros, el único y verdadero tiempo vivido[5]", terminó por decirle aquel hombre.

Pensando en esta historia, me he dado cuenta de lo poco que he vivido. He anotado tal vez unos cuantos días en mi libreta imaginaria. No más. Si viviera en aquel lugar la inscripción de mi piedra tallada ¡cuánta conmoción causaría en el buscador!

En todo caso, yo aún estoy a tiempo de rellenar las hojas con acontecimientos grandiosos. Lo único que hace falta es un cambio de actitud, un giro de tuercas en este gran ensamblaje.

Yo ahora mismo soy como el buscador que está intentando hallar algo, pero no sé muy bien qué. Lo que busco yo de la vida es una meta que anida en lo más oscuro de mi interior. Busco algo arraigado en la profundidad de mi linaje. Algo oculto en la psiquis de mis padres, de mis cuatro abuelos, mis ocho bisabuelos, los dieciséis tatarabuelos, treinta y dos cuadrabuelos, sesenta y cuatro pentabuelos, ciento veintiocho hexabuelos, doscientos cincuenta y seis heptabuelos, quinientos doce octabuelos,

5 Jorge Bucay, *El buscador.*

mil veinticuatro eneabuelos y los dos mil cuarenta y ocho decabuelos. En el transcurso de esas once generaciones ¡qué de cosas han pasado! Estoy atada sin duda a esos cuatro mil noventa y cuatro ancestros como se liga la madre al hijo a través del cordón umbilical.

Una gran madeja o nudos psicológicos que me enredan por completo con el tiempo. Una gran historia o miles podríamos decir, cuya confabulación y mecanismos azarosos me ha traído a la vida en este momento y circunstancias.

Lejos de escapar a esa vasta influencia me veo circunscrita por ella o, más bien, atrapada. Ya desde el vientre de mi madre recibí la neurosis de la familia.

Indagando en esto, en el taller grupal al cual me llevó Alejandro, pude empezar a armar este gran rompecabezas que encaja para elaborar mi mapa interior.

Me he dado cuenta de que mi familia me ha heredado una terrible enfermedad y me han echado encima el nefasto destino del fracaso. Todo esto porque lo más grave que me han hecho es tratar de expulsarme de mi propio ser.

Me he convertido en una mujer inconsciente. Lo más terrible de esto es que me he amansado de tal forma que lograron delinearme con los planes que ellos tenían para mí. Esto, claro está, lo han hecho ellos también desde su propia ignorancia.

En conjunto somos una gran cadena de seres cuya inconsciencia ha degenerado en un desequilibrio que ha trastocado lo bueno que podría permanecer en cada ser individual.

Sabiendo esto, debo abocarme a la tarea de suprimir esa personalidad que me ha sido moldeada como a una escultura de cera. Una figura falsa delineada por la perversidad de una familia disfuncional.

Tengo que luchar por desprenderme del condicionamiento de mi propia historia, o esa que se me ha ido imponiendo a través de la crianza que me dieron mis padres.

Leyendo las memorias que me dejó mi mamá, he podido entender ciertos aspectos que me configuran y los que, anteriormente, representaban un enigma para mí. Ella odiaba a su madre y entonces deslizó su odio en mí.

Yo odié a mi madre y a toda su familia, —aunque no los conocí, porque ella así lo quiso—, por la que siempre sentí una gran antipatía. A tal punto que el retrato de mi abuela siempre fue el ejemplo de lo indeseable y se colaba en mi memoria en los momentos de ira enconada.

No obstante, todos podemos pasar de víctimas a victimarios y viceversa. Lo digo porque mi abuela sufrió una violación por su padre, es decir, mi bisabuelo. Ese trauma, ahora lo entiendo, marcó la manera de relación que tenemos las mujeres de este linaje con los hombres.

Ella rechazó a mi verdadero abuelo e hizo pasar a otro hombre como el padre de mi mamá. Todo ello lo hizo desde la plena consciencia del poder que ejercía sobre los hombres porque en el fondo los odiaba. Veía en ellos la representación perenne de su papá violador.

Ese odio se deslizó como una lombriz en mi madre que, a pesar de amar a mi papá, no pudo desligarse de esa herencia y lo desgastó como se hace con un estropajo.

No puedo decir que yo fui la excepción. Aunque me digo que quiero encontrar un buen hombre y rehacer mi vida, mis relaciones están signadas por la desigualdad y la lucha de poder. Y es que esa lealtad invisible que mueve mis decisiones y vivencias la llevo conmigo como un programa inmovible. Así lo identifico, como una fidelidad que duele y desgarra, y que seguirá repitiéndose en mi descendencia si no la miro, la confronto y despido.

Mi relación con Richard fue un reflejo de eso. Depurando los recuerdos y conociendo esta nueva visión desde lo transgeneracional, todo resuena y tiene sentido. Ahora lo veo, ahora comienzo a aclarar mis lentes. ¡Qué ciega estuve! Nadie nos enseña, solo somos como borregos siguiendo mandatos sin ni siquiera saberlo.

Fue así que elegí un actor para seguir dando vida a la película de mi historia familiar. Una película cuya trama ha sido tejida desde mucho antes de yo nacer, y que seguirá tejiéndose más allá de mi paso por este plano.

Hasta ahora pensé que me había enamorado de Richard por su contextura física, sus intensos ojos y su inteligencia. Sin embargo, ahora todo lo que construí se cae, se derrumba y pierde sentido.

Me enamoré de lo que viviría con él, me enamoré de lo que representaba en términos de reparación ancestral. Con él podría darle sentido y continuidad a lo que ha quedado inconcluso en mi sistema. Con él me aseguro de seguir siendo parte de mi linaje, de esas mujeres insatisfechas y esos hombres ausentes.

Ahora me doy cuenta de que no lo veía a él, no me enamoré de él. Me enamoré inconscientemente de lo que él representaba para dar cumplimiento y asegurarme de mi pertenencia al clan.

Richard, un gran maestro que me mostró todas las deudas ancestrales con las que cargaba y que debía deshacer, con la sola intención de ver lo que no podemos ver con nuestros ojos.

Cierto es que, como lo he contado antes, en mis momentos de angustia lo recuerdo displicente y desconsiderado. Pero no era él, solo era una proyección de todos esos nudos sistémicos que me atrapaban.

Ahora puedo identificar claramente las lecciones que no quería ver, por ignorancia y rebeldía, porque sí y por irreverencia. Y de nada me servía. Mi cuerpo lo mostraba todo, sin reservas ni discreción, el cuerpo no miente.

Así fue como mis rodillas no cesaban de decirme a través del dolor, que debía doblegarme. Mis hombros gritaban que soltara la carga pesada que no podía seguir sosteniendo. Mis pulmones, que me recuerdan, a veces, mi miedo a respirar, a tomar la vida, a dejar de respirar y partir. Mis manos me indicaban que algo tenía que sanar con mi padre, mientras que mis pies me indicaban que tomara energéticamente a mamá, para de esa manera, tomando a mi madre y a mi padre de forma energética, honrar la abundancia y la prosperidad que no había tenido el privilegio de disfrutar.

Richard, mi espejo, quien poco a poco endureció su corazón porque yo repetí el patrón de mi abuela y mi mamá. Ahora lo noto. Quería aplastarlo desde el poder y la arrogancia que me brindaba su amor. A diferencia de mi padre él no terminó siendo un títere, sino que llegado el momento marcó distancia y se aisló de mí. Aún hoy sigue herido, bien lo puedo entender.

En cuanto a mi reciente y compulsiva adicción al cigarrillo puedo ver el reflejo de mi linaje paterno. Una fuerte historia ligada a los vicios como escudo con que se ocultan los pesares.

En los momentos críticos se opta por un sucedáneo con que aplacar el pesar y la pena. Así lo hizo, como ya lo saben, mi padre. Así lo hizo también su madre que a la muerte de mi abuelo tomó de pronto el vicio por el cigarrillo a una edad cercana a la que yo tengo ahora. Murió de cáncer, por supuesto.

Y es tan claro, que de continuar yo también moriré de ello. Lo veo tan claro que me asusto. Todo esto lo voy atando, descubriendo las ramificaciones de mi genealogía. Veo que el árbol tiene partes secas a punto de romperse.

Yo misma soy como un fruto agusanado. Pero, a la vez, soy también el gusano que está rodeado de un capullo y está sufriendo porque tiene que convertirse en mariposa. En el fondo tengo miedo de hacerlo porque es más fácil permanecer tal cual se es, por más enfermo que uno se sienta.

Cambiar implica un movimiento, conocer nuevas y otras dimensiones. Hay que deslastrarse hasta de lo que uno cree de sí mismo y aventurarse al camino de lo otro.

En este sentido, el ego juega un papel preponderante. El ego es lo opuesto a lo que verdaderamente somos, nos identificamos con él de tal manera, que creemos que somos él.

Increíble saber que nací sin ego, como nacen todos los niños, y lo fui asumiendo de tal modo que se ha ido pegando como si fuera parte de mi piel.

Y aquí estoy, tratando de dejarlo a un lado mientras desmantelo la falsedad en la que he estado viviendo por tanto tiempo y que se ha ido forjando en la arquitectura familiar, social y cultural.

Tenemos el delirio de que eso que vemos es lo que somos y ¡cuán difícil es dejar de ser lo que uno cree que es! Algo artificial creado por la sociedad. Sin embargo, llegar hasta aquí me ha costado tanto dolor, tantas caídas, tantas heridas que han quedado sin curar.

Y hablando de heridas, he quedado fascinada con el tema de las heridas emocionales. Ha resonado tanto conmigo y mi historia, que no dejo de pensar en todas ellas y en todos los que las han tocado.

Ahora entiendo que cada una de mis reacciones ha sido producto del dolor de mis heridas. He estado herida por tanto tiempo que las mismas han quedado a la intemperie, y no he podido ver más allá de ellas.

Puedo hacer una lista interminable de todo aquel que ha tocado una, y yo, lejos de mirar y cuidar de ellas, me he distraído buscando culpables y acumulando dolor.

Llegar a ellas supone una luz en el camino, el camino de la liberación, aquello que me permitirá ver mis sombras y mis luces, danzar con ellas y crecer en el proceso.

***

Mis últimos días han sido distintos, pero mejores. Esa luz sigue conmigo. Han pasado tantas cosas que me parece que han sido años desde que toqué fondo y me volví añicos.

Reconocer desde la presencia, enfrentar desde el coraje e integrar desde la conciencia, hace que la vida valga la pena, que tome sentido. Hoy me siento como una bella mariposa multicolor que vuela feliz por los jardines. Así lo siento, así lo vivo.

No siempre es tan fácil ni tan multicolor como lo siento hoy, pero con eso basta. Basta con esta sensación de renacimiento que vengo sintiendo la mayor parte de mis días.

Donde hoy hay luz, antes solo había sombras. Donde hoy hay oxígeno de vida, solo había deseos de no estar. Donde hoy hay esperanza, antes solo había penumbra.

Hoy quiero gritarlo a los cuatro vientos. Hoy quiero que todos sepan que siempre hay un ángel en el camino que nos invita a renacer, a transitar esta vida desde el propósito por lo que hemos venido.

En mis manos tengo una invitación que ha llegado justo en el momento perfecto. Me encontraré con un grupo de amigos de los que anteriormente me había alejado, y con los que decido crear un nuevo puente, lleno de todo esto que estoy viviendo.

Al llegar, todos se asombran al verme diferente, renovada, llena de vida. Los ojos me brillan, mis labios dejan fija una sonrisa y mi cuerpo va creando un aura de libertad y plenitud, una plenitud que me lleva a conversar libremente sobre mis experiencias recientes.

Yo también me asombro al escuchar algunas de sus historias, sus anécdotas, sus vivencias recientes y antiguas. Nos sentimos tan identificados y unidos por nuestras historias que, de alguna manera, nos damos cuenta de que no es casualidad que hayamos "coincidido". No, no me gusta coincidir, no creo en eso, mejor es decir que hemos sincronizado.

Fue una noche espectacular, en medio del fuego, música, bailes y rituales, honramos nuestras raíces, lloramos, reímos, expusimos nuestras heridas y nos reconciliamos con esas partes internas nuestras que habían estado en disonancia total. Así resignificamos el propósito que nos trajo a vivir esta experiencia terrenal.

Estuvimos en presencia, en resonancia y vigilantes. Enfrentamos nuestros demonios, mientras entrábamos y salíamos de ese denso material con el cual nos habíamos identificado para justificar nuestro modo de "supervivencia" y no llegar al modo "plenitud".

En resumidas cuentas, se dio la magia. Esa que vamos creando a través de la filosofía Vive Wise (Reconocer, Desaprender, Reprogramar, Resignificar e Integrar). Y la magia se da justo cuando te das cuenta que has hecho el recorrido con conciencia.

Esto lo aprendí en una de las sesiones terapéuticas que más impactaron mi cambio. Vi una frase que decía: "El viaje ha comenzado, un viaje en donde comienzas a mirarte, escucharte, entenderte y a sentirte vivo, Vive Wise.

A pesar de todo lo viva que me siento, entiendo que es un desafío diario, un viaje que requiere de mi presencia, de mi constancia y esfuerzo. También me exige reconocer mis sombras y mis luces, de desafiar mi parloteo mental mientras regreso al presente, agradeciendo día a día por lo vivido.

Un camino en donde antes hubo caos, rabia, ira, vergüenza, tristeza y mucha inconformidad, y cuya meta era poder resistir para sobrevivir, mientras estaba enfocada en la pregunta "¿y ahora qué más?".

Me había convertido en una "adicta" a la mala vida, a los hábitos dañinos. A todas esas cosas que corroen la mente y destruyen el cuerpo. Eso que desgarra las alas y te siembra en el abismo.

Llegué a creer que vivir de esa manera había sido mi destino, que al llegar a la tierra en la repartición de los dones, mi mochila no había sido tan agraciada. Así viví por tanto tiempo, hasta que no tuve otra opción que despertar de una pesadilla que no parecía tener fin.

Sin darme cuenta, desde la ignorancia y la inconsciencia, había firmado un contrato de lealtad familiar. Uno en el cual yo me hacía cargo de seguir llevando a cuesta historias no resueltas, traumas no sanados y sueños no cumplidos. Un paquete que no era mío, era de ellos, pero ellos son parte de mí. Es el clan al cual yo pertenezco. Y mientras fui despertando supe que tenía otra opción, que existía otro camino.

Nunca había escuchado sobre eso. Me preguntaba si ese era un camino para algunos privilegiados, un camino para los que no son creyentes o un camino prohibido para los que creemos en un Ser Superior, en legiones de ángeles... En fin, en el poder de la Divinidad en toda su manifestación.

Y mientras voy caminando con una firmeza que no había reconocido en mí, repito: "Hoy decido manejar el auto de mi existencia. Hoy decido no continuar como usuaria pagando un pasaje y dispuesta solamente a usar las paradas asignadas".

Mi poder es tal que hoy soy capaz de derrumbar todos esos viejos edificios que conforman las ciudades que me habitan. Hoy me doy cuenta de mis guiones de vida, de las posiciones en las que he danzado y en lo identificada que he estado con la muerte mas no con la vida.

***

Esta mañana estaba pensando en la ceguera con la cual me he dirigido a lo largo de mi vida. Pensaba que de alguna manera todo lo vivido es lo que le da sentido y valor a mi propósito al decidir como alma venir a vivir esta experiencia terrenal.

He allí y justo cuando pensaba en esto, que enciendo la radio. ¿Y qué escucho? Para mi sorpresa suena una canción de los Beatles, en el preciso instante en el cual John Lennon canta:

"*Living is easy with eyes closed.*

Misunderstanding all you see[6]".

¡Qué maravillosa sincronicidad!

El mundo te habla. Todo se expresa constantemente. Todos los seres estamos relacionados. Yo soy tú, tú eres yo y todos somos a la vez. Todo esto que ahora escribo ya fue gestado hace millones de años.

---

6 The Beatles, *Strawberry Fields Forever.*

Todos estamos conectados, y cada uno es una necesaria conexión. Mi vida ha girado como un trompo en estos últimos meses. Ahora estoy agradecida porque he entendido que no debo resistirme, que ha sido mi inconsciente el que se ha estado expresando y mi razón ha intentado acallarle.

Entrar en coherencia es el mayor reto que me ha traído toda esta experiencia. Y pensar que somos programados para vivir en incoherencia, que hay un monstruo gigante el cual cada día alimentamos y honramos.

Lo que deseamos debe estar siempre alineado con lo que pensamos, decimos y hacemos. Así se da la danza perfecta. La idea es estar lo más acompasado posible.

Hoy decido fluir con la vida, hoy me niego a seguir mirando la corriente del río avanzar desde la orilla. Ya es hora que me sumerja, me relaje y me deje ir. Necesito que el agua me lleve para descubrir y aprender. Hoy soy esto, mañana seré una parte de esto más otra cosa.

Soy una esencia que se va transmutando. Soy un universo en plena expansión. Soy un gran astro conformando el conjunto de la enorme y brillante vía láctea.

Hoy miro mis heridas, hoy miro el territorio desde donde parten los surcos de mis heridas. Heridas de rechazo, de abandono, de desilusión, de vergüenza y tristeza, de ira y dolor. Heridas que me han llevado a ver la injusticia en cada esquina y la traición en cada experiencia.

Hoy identifico uno de esos días en el cual viví el rechazo desde el útero de mi madre. Viví el abandono desde la desconexión de mi madre ante la incertidumbre de su propia vida.

Cuánta humillación al saberme niña, al saberme no deseada, primera traición que quedó tatuada en mi mente y mi cuerpo. ¿Quién podía hablarme de justicia?

Por primera vez en mi vida poseo la energía necesaria para seguir adelante. El camino no será fácil, de seguro tendré momentos en donde tocaré fondo y volveré a recoger parte de lo que se ha quedado.

La vieja Emma tratará de hacerse cargo otra vez. Sin embargo, ahora sé que la vida tiene un sentido más digno y elegante. Al fin comprendí que mi reino es mi alegría. Me siento en capacidad de sanar mi herencia familiar y vivir en la libertad, como un regalo para mis antecesores, al igual que para mi descendencia.

Si bien el mundo es crudo y la resistencia está siempre latente, sí creo, por primera vez, que se puede vivir desde el amor.

Esto me recuerda el cuento aquel en el que una princesa besa a una rana, convirtiéndola en un príncipe. Así me siento, con esa misma capacidad de transformación, desde el amor y la gratitud.

Estos dos condimentos son suficientes para crear todo lo necesario para hacer realidad un campo lleno del potencial más elevado del que podamos disfrutar y ser parte activa.

***

Después de aquella noche terrible y liberadora en el cementerio, al otro día preparé una deliciosa torta de crema de leche. Pasé buscando a Alejandro quien me llevó a un lugar en las afuera de la ciudad.

Llegamos a la casa rodante de una familia de artistas circenses que viajaba por todo el mundo. Papá, mamá y tres críos. Una familia muy hermosa y llena de sonrisas.

Me recibieron con gran efervescencia como si me conocieran de toda la vida. Me dijeron que mi amigo les había hablado mucho de mí y que por eso me habían invitado.

Alejandro me explicó que lo de la torta era porque él es de la firme creencia que cuando te invitan a un lugar debes presentarte con un regalo, como muestra de retribución.

En fin, un compartir hermoso con personas agradables, sinceras y festivas. Representaron una función hermosísima sobre *La rosa que floreció en el desierto*. Una obra escrita por todos los miembros de la familia, según me explicaron.

Todos participaron y, de veras, puedo decir que nunca vi a una familia más unida y feliz que aquella. Una armonía que no viene ni de la disciplina ni el control. Un respeto que no ejerce autoridad. Un amor que no demanda jerarquías. Todo eso y más era lo que percibía en aquellos seres.

Como buenos anfitriones de un circo no me dejaron ni siquiera bostezar. Todos mis sentidos estaban atentos a lo que sucedía. Estaba allí tan presente que me olvidé del tiempo y hasta de mi teléfono móvil.

De pronto, comenzó a llover y en el pequeño hogar se sintió magnificado un inusitado confort y sensación de bienestar que sería increíble pensarlo si se viera desde afuera.

Por primera vez en la vida, me sentí confiada y totalmente a gusto con personas desconocidas. Aunque, ahora que lo escribo, en el fondo no eran desconocidos. Desde el momento que entré a su espacio y miré el brillo de sus ojos se derrumbó aquella sensación.

Era como si fueran mis amigos desde hace mucho tiempo. Por momentos creía que Alejandro me había embrujado y que la verdad era que todo eso no era nada más que producto de mi imaginación. Creía que él, con sus artes mágicas, me había hechizado o algo parecido y que estaba jugando con mi mente. Pero no. Pensaba todo esto porque nunca me había sentido tan libre.

Por su lado, mi amigo se explayaba en risas con la felicidad propia de un niño, así que si alguien estaba hechizado era él. Su hechizo provenía del amor limpio que era capaz de sentir por aquella familia del circo.

No sé cuánto tiempo pasó. Llovió, escampó y volvió a llover. Los niños durmieron y volvieron a despertar. Nos reímos, comimos y volvimos a reír. El tiempo cambia cuando nos estacionamos y estamos presentes.

Después de un rato, Rosina, que así se llama la madre de esta simpática familia, me pidió la acompañara a un cuartito improvisado al lado de la pequeña cocina.

Allí instaló una mesa a la que envolvió con un mantel con soles, sacó un mazo de cartas de tarot de Marsella y me pidió que la mezclase.

—Saca tres cartas.

Así lo hice.

—¿Qué quieres saber? —luego preguntó.

—¿Quién soy yo?

Volteó la primera: el arcano trece.

—Es la carta de la transformación. Una fuerte transformación. Es la limpieza, la ruptura. Tratas de ir a lo esencial. Con esa guadaña que ves en sus manos le estás quitando la cabeza a tu madre y a tu padre.

—¿Y qué significa?

—Solo tú le puedes dar un significado. Yo solo te ayudo a leerlas.

Me dijo que se trataba de una limpieza, de destruir para hacer espacio para algo nuevo. Cortar lo que ya no sirve para que nazca una nueva mujer.

—Porque hasta este momento lo que conoces de ti, no eres tú sino tu rabia —remató.

La segunda carta fue la estrella. Una mujer desnuda con melena larga, con una rodilla apoyada en la tierra. Sostiene en cada una de sus manos una jarra, mediante las cuales vierte agua al río que justamente pasa bajo sus piernas.

—Transmite lo universal que tiene un deseo purificador y que ya encontró su sitio. Tú quieres transformarte. Quieres más. Quieres accionar un cambio significativo en el mundo…

La tercera y última carta fue la del padre, el sabio.

—Eres una persona que está avanzando hacia la sabiduría —me dijo de manera sencilla y tierna Rosina.

Me dijo que desde que he aceptado mi adultez y he dejado que la niña en mi interior se sienta comprendida y amada, he comenzado a reparar esa rabia por tanto tiempo acumulada.

Que lo siguiente será aceptarme tal cual soy, sin pedir a gritos y sollozos que mis padres me amen.

Capítulo VI

El encuentro

No hay viento favorable para el que no sabe a dónde va.

Séneca

Sí, desde que he aceptado mi adultez y dejado de ser niña, el espacio que estaba cerrado por la acumulación de tantas cosas se ha despejado dentro de mí.

Por fin siento que mi rabia va cediendo y da paso a la esperanza. En estas últimas semanas he advertido que la vida me ha dado una segunda oportunidad.

He dejado de correr y me he dejado estar con calma y sosiego. Intento disfrutar de los instantes como quien goza de lo verdadero y sublime en cada pequeña cosa.

La verdad es que ha sido un viaje de siglos el que he emprendido en estos últimos meses. El tiempo es relativo. Mil años pueden caber en unas cuantas horas.

No he dejado de pensar en todo lo vivido como si se tratara de un conjunto de puertas y ventanas que he abierto para que entrase la luz del sol. Sí, eso es, precisamente, lo que he hecho.

He abierto la puerta del garaje y acomodado todas las cosas inútiles que tenía en casa. Ahora bien, eso de la inutilidad también es digno de discusión, lo sé.

Hay objetos que nos afanamos en tener porque no sabemos cuándo los podremos utilizar. Otros son simple decoración. En todo caso, somos nosotros los que les otorgamos validez o pertinencia.

Una vez, una muy buena amiga de la universidad me pidió que la ayudase a limpiar y a acomodar el apartamento de su mamá. Una señora con graves problemas de carácter que se enfrentaba a la fase terminal de un invasivo cáncer de seno.

Lo cierto es que lo que más me impresionó fue el hecho de que todo el lugar estaba repleto de objetos de diversas índoles, arrojados aquí y allá, sin conciencia aparente. Simplemente, a través de los años había adquirido tantas cosas que, a duras penas, quedaba espacio para caminar.

Electrodomésticos, ropa, herramientas y cualquier otra cosa que se pueda imaginar. Lo más particular del asunto es que conservaban su empaque original. Ni siquiera se había dignado a la tarea de sacarlos. Durante décadas habían permanecido inalterados allí donde los había puesto. Y fue agregándoles otros encima y otros más, sobre estos.

Así transcurrieron alrededor de treinta años que eran justo los años que para ese momento tenía mi amiga.

—No me digas nada, Emma. Ayúdame y ya.

Ella sufría, sin duda, la vergüenza de tener una madre acumuladora. ¿Pero qué podía decir yo? No obstante, supongo que mi cara tampoco ayudaba. La verdad era que estaba impresionada a pesar de las advertencias que ella me había hecho.

Me daba cuenta de que todos esos objetos acumulados pesaban en ella, al punto de asfixiarla en lo más adentro de su alma. Por ello, había abandonado el hogar hace años, pero las circunstancias la habían obligado a regresar, lo que destapaba en ella grandes conflictos interiores.

Lo más terrible era que su madre estaba en una de las habitaciones al fondo del pasillo, literalmente enterrada bajo toneladas de basura. En eso se habían convertido esos objetos inservibles.

La señora, ya convaleciente, aunque consciente y visiblemente incomodada por la intromisión de nosotras, lo único que repetía una y otra vez era que no fuéramos a botar las cosas.

—Hay objetos muy valiosos. Son de muy buenas marcas —decía.

En fin, en lo particular yo he decidido no apegarme a ningún objeto. Todo esto es circunstancial. Hay que ir renovando como se renueva la ropa cada cierto tiempo.

En todo caso, es un ejercicio de liberación. Una manera de despojarse de todas esas cosas a las cuales les otorgamos una cualidad ilusoria. Eso, la verdad, para mí ya no tiene sentido.

A Lucía le costó mucho abandonar algunas de sus muñecas.

—Con las que ya no juegues, déjalas. No te hacen falta.

Al principio no estaba para nada convencida. Pero al ver mi efusividad y, hasta podría decir que, alegría, se convenció de que toda aquella locura también podría ser divertida.

Para llegar a la libertad es necesario atravesar el túnel del miedo y la sinrazón. Así nos vamos depurando de todas esas capas que hemos ido acumulando a través de los años y que cada vez nos alejan más de nuestra esencia.

¡No se imaginan lo satisfactorio que fue abrir la puerta del garaje! Sacamos grandes cestos con todo lo acumulado y nos sentamos a ver cómo los vecinos y demás personas que por allí pasaban, se llevaban lo que querían.

La señora que vive al frente y con la que ni siquiera había cruzado una mirada, ayer la vi pasar con uno de mis vestidos. Lo hizo al atardecer y me sonrió.

—Imagínate lo coquetas que se deben sentir esas barbies que ya ni mirabas, siendo las delicias de otras niñas —le decía a Lucía.

—Ahora no quiero muñecas, mami.

—Ah, ¿no?

—No. Quiero un rompecabezas y un globo terráqueo.

—¡Muy bien!

Ahora está empeñada en conocer los países.

—La maestra nos dijo que todos los seres humanos venimos del África. ¿Es verdad?

—Así es.

—¿Y tú sabes dónde queda? ¿Podemos ir? ¿Está muy lejos?

***

El destino lo vamos construyendo. Lo vamos moldeando a medida que aprendemos acerca de nosotros mismos y de lo que venimos a hacer en esta vida.

Hay cosas que son inevitables, está bien. Sucesos que escapan de nuestra voluntad, como el nacimiento y demás. Pero la manera cómo lo vivamos y asimilemos en nuestro interior, claro que sí dependen de nosotros.

Así lo enseñó Buda a sus discípulos con la metáfora de las dos flechas. Dijo que recibir la primera de ellas es inevitable. Se nos clavará en el centro de nuestro ser, en todo aquello que nos conforma.

Representa los acontecimientos ineludibles de la vida. El dolor, la pérdida, la enfermedad y la certeza de la muerte, que vienen inyectadas como un veneno en la punta de una saeta.

No obstante, existe una segunda flecha que es aquella que nosotros mismos nos disparamos. Nos autoinfligimos una herida que en ocasiones sobrepasa el desgarro y el dolor que nos ocasionó la primera.

El sabio Siddhartha Gautama, le dijo a sus atentos seguidores que la causa verdadera por la cual nos ocasionamos esta herida es porque nos hemos llenado la cabeza de juegos y trampas mentales.

Esta es la manera que tenemos para complicarnos. Aumentamos nuestro sufrimiento por medio de su relación con lo que está ocurriendo y así justificamos nuestros vicios.

El dolor ocasionado por la primera flecha es inevitable. Sin embargo, el sufrimiento secundario, sí que no lo es. Lo que pasa es que lo generamos para no aceptar la realidad.

Cuando entramos en un proceso de sanación. Cuando hemos trabajado arduamente en nuestro fortalecimiento, nos damos cuenta de que hay una flecha de la que no tenemos el control. Ese, como dije, es el dolor inevitable que nos trae la existencia.

Sufrimos la segunda herida porque hay cosas a las que nos seguimos resistiendo. Es aquí cuando empezamos a comportarnos como víctimas. Nuestro ego nos hace sufrir para, al menos, así hacernos sentir falsamente especiales.

Me he dado cuenta de que ese primer flechazo hay que aceptarlo. Ese dolor despierta. Cada acontecimiento, por más dolor que nos genere, dota a la existencia de sentido.

Es por ello que me he dado a la tarea de juntar cada pequeña pieza de mi destruido corazón. Las voy juntando poco a poco para que se reacomode y lata como nunca lo tuvo que dejar de hacer.

Saqué aquella segunda flecha enconada en mi ser. He podido sentir cómo mi cuerpo se va curando y mi espíritu resplandece y se renueva como una hermosa música.

Con esta claridad es que puedo contestar a la mayor pregunta de todas: ¿cuál es mi misión en la vida?

En uno de sus libros, Jodorowsky cuenta que en pleno montaje de una de sus películas tuvo que viajar a los Estados Unidos, dado que en México, país en donde residía en ese entonces, su vida corría peligro. Una vez instalado en Nueva York comenzó a desarrollar una hiperhidrosis, es decir, una incontrolable y anormal sudoración. La atribuía a la angustia por la que estaba atravesando.

Un amigo le dio la dirección de un médico sabio que atendía en el barrio chino de la ciudad. Entonces fue a verlo con la ilusión desesperada de que lo ayudase. Escribe Jodorowsky que justo al entrar a la especie de consultorio donde lo atendería el hombre, este le lanzó una pregunta bastante particular:

—Cuéntame, ¿cuál es tu finalidad en la vida?

Nuestro escritor, más bien enojado, le respondió que él no había ido a ese lugar para entablar una conversación de carácter filosófico.

—La verdad es que vengo a que usted me cure de esta incesante transpiración —le terminó por decir.

A lo que el anciano respondió:

—Si usted no tiene una finalidad en la vida, no lo podré curar.

Como vemos, ciertamente no se trataba de una pregunta filosófica. Lo que quería hacerle ver el sabio era que necesitaba entender cuál era su finalidad para así:

"Encender una luz que permite ver lo que nos faltó en la misma raíz de nuestro árbol genealógico. Ahí están nuestras limitaciones, lo que nos da miedo, lo que se nos prohíbe. Una pregunta que puede tomar muchas formas diferentes, aunque en esencia siempre es la misma: ¿Qué es lo que quieres hacer con tu vida? ¿Cuál es tu finalidad? ¿En qué te puedo ayudar? ¿Qué es lo que todavía no has conseguido? ¿Hacia dónde vas? ¿Cuál es tu horizonte ideal? ¿Cuáles tres deseos le pedirías a un hada? ¿Qué harías si te hicieses invisible durante veinticuatro horas?”. [7]

***

Mi finalidad en la vida es curar mi linaje familiar para transmitirle a Lucía una herencia de paz, amor, plenitud y felicidad. Quiero curarme y junto con ello honrar a los seres que me precedieron. Aliviar la carga de tantos años y tantas vidas.

Es hora de dotar de propósito todo lo que he vivido. Esa primera flecha fue inevitable. Conforma esas situaciones que, al final de cuentas, llenan de sentido mi existencia.

Debo aceptar el tipo de sistema familiar que mi alma eligió para vivir estas experiencias en el plano terrenal. Creo que de alguna manera los elegí, un acuerdo de alma a alma junto a esos dos seres maravillosos llamados padres.

Sin duda, lo que vivimos es lo que nos da la oportunidad de evolucionar, puesto que así aprendemos lo que necesitamos para seguir avanzando. Es así como tiene sentido esta experiencia terrenal.

Mi madre cumple una misión en mí. Quiero pensar que su vida no fue en vano. Ella sigue viva en mí y en Lucía. Cada quien es libre de hacer lo que pueda con la parcela

7 Alejandro Jodorowsky, *Psicogenealogía y psicomagia.*

de vida que tiene a su disposición. Y yo decido levantar un hogar de bendiciones.

No se debe mirar hacia atrás tan solo por curiosidad, tampoco por resentimiento, menos aún por venganza. Se va hacia atrás para entender. Es como ubicar el comienzo de ese hilo que te conecta con el origen de todo.

Me conecto, entonces, con todo lo que he vivido y trato de encontrarle un sentido superior conectado a la sanación de mi alma. No tiene sentido hurgar en una herida para seguir en el papel de víctima o perpetradora.

El poder que tenemos es tan fuerte, que aquello en lo que nos enfocamos crece. Sobre todo, el sentimiento que pongo en aquello en lo que me enfoco impacta el resultado.

He pasado toda mi vida dando la espalda a mi misión, a mi propósito de vida, y ahora elijo retomarla. Es una decisión desde un estado de conciencia diferente, en donde he visitado mis orígenes, eso que comenzó mucho antes de nacer.

He sangrado por mis heridas, he descubierto informaciones que le dan sentido y respuesta a lo vivido. He hecho devoluciones simbólicas, he cortado lazos llenos de toxicidad y he honrado y agradecido por todo aquello de lo que soy parte.

Me he dado cuenta de tantas cosas, de tanta ceguera, de tanta inconsciencia, y de cómo mi cuerpo ha ido respondiendo de diferentes maneras a cada información recibida.

De allí vino mi desconexión, mi insatisfacción y mi quiebre. No estaba en mi centro. Sin embrago, cuando tomé conciencia de lo que estaba haciendo, me sentí plena y en la dirección correcta. Siento que he llegado, por fin, a un puerto seguro.

Deseo transmitir a través de mis acciones un legado de esperanza, de amor y gratitud. Agradezco a lo que fue tal como sucedió. Y agradezco a lo que será, tal y como vendrá, desde la aceptación.

La vida que queremos la podemos llevar adelante. Somos capaces de transformar todo lo que queramos. Existe un mundo de posibilidades siempre dispuesto para nuestro crecimiento. Las limitaciones están dentro de nosotros mismos. Es como aquel relato del hombre que se despierta una mañana, se va a pescar y, en plena jornada, se encuentra a otro pescador. Se le queda mirando y se da cuenta de que es muy habilidoso y está teniendo una buena pesca. No obstante, se extraña al notar que a pesar de que atrapa muchos peces, se queda solo con algunos. Los pone a un lado, los selecciona y a los más grandes los regresa al mar. Sin poder resistirse, se le acerca para preguntarle el porqué de su comportamiento.

—Disculpe, amigo. Hace rato que lo estoy observando y he podido notar que, en efecto, ha pescado mucho. Sin embargo, regresa los mejores peces al agua. ¿Cuál es la razón para tal comportamiento? ¿Por qué no te quedas con todo?

—Lo que pasa es que yo tengo una sartén que solo mide treinta centímetros. Por tanto, todos los peces que sobrepasan esta medida los devuelvo porque no me sirven —le contesta.

Justamente eso es lo que nosotros solemos hacer. Limitamos nuestras posibilidades a ese espacio tan pequeño que representa nuestro mundo o lo que nos han hecho creer las limitaciones que nos han impuesto o que nos hemos autoimpuesto nosotros en nuestra ignorancia.

Entonces nos perdemos toda la abundancia. Devolvemos todos los peces que tenemos la virtud de conseguir porque el tamaño de nuestra capacidad está achicada, valga la analogía, tal como la sartén de treinta centímetros del pescador.

Es así que yo he sido como ese pescador. He estado limitándome. Me he circunscrito a lo ya conocido. He permanecido atrapada en la prisión de mi experiencia y recién ahora es que me siento en libertad.

Con este sentimiento a flor de piel volví de nuevo a la zona de Bellas Artes. Pero esta vez lejos de ser una espectadora, me convertí en parte del cortejo festivo.

Bailé, reí, salté y no temí al ridículo. Me volví parte del entorno y dejé que mi recién rescatada niña interior hiciera de las suyas. ¿Qué hubiera dicho mi amigo Alejandro de haberme visto en esas andanzas?

Y es que sigo empujando este proceso que no tiene un final. Es un proceso en el cual ando avanzando como en una ruta que conecta mil ciudades. Y lo mejor es que conduzco el coche a mi antojo.

De pronto, comencé a fumar, me detuve, miré a mi alrededor y me vi envuelta en esa felicidad compartida. Me di cuenta de que no debía estar atada a nada. Así que lancé con todas mis fuerzas el cigarrillo. A partir de ese momento el cigarrillo pasó a la historia.

Ahora mismo realizo una torta para el cumpleaños de Lucía. La llevo al horno y me asomo por la ventana. Allí está mi pequeña junto a otras niñas del vecindario.

Corre y juega como si en ello se le fuera la vida. La energía que le imprime a cada una de sus carreras es impresionante. Es feliz y está llena de presente y de futuro.

Veo su cabello danzar al ritmo del viento, sus ojos brillar a la luz de la última luz de la tarde. Miro su cuerpo entero y vivaz revoloteando como una mariposa.

Logro ver a la niña que una vez fui y lágrimas de alegría acuden a mis ojos lavados de cualquier tipo de rencor. Distraigo mi mirada a través de los arbustos y plantas del patio y logro ver a mi padre junto a mi hermano intentando alcanzar un mango del árbol más grande.

Entro en un ligero trance, donde vislumbro a mi madre vestida de blanco, con un dejo angelical, bendiciendo a su nieta mientras disfruta ver cómo gana en velocidad a las otras niñas. Y más atrás veo a mis abuelos, bisabuelos y tatarabuelos con sus respectivos hijos caminar hacia nuestro encuentro.

Es mi imaginación, pero también es la realidad. Es mi deseo, pero también es la fisura del tiempo que rompe todo patrón preestablecido. Vivimos todas las épocas y todas las edades en una sola.

Estoy feliz porque sé que acuden en esta tarde a mi jardín ya que es el lugar de encuentro de una familia que en otro plano, mucho antes de llegar a este, acordó tener experiencias conjuntas que aportarían para el proceso evolutivo de cada uno. Una familia perfectamente unida para trascender.

El misterio de la creación nos unió y forjó un lazo indestructible entre nosotros. Me imagino a mi mamá cantando una canción de Frank Sinatra y a mi padre cortejándola otra vez.

Me imagino a mi hermano naciendo de nuevo, creciendo y convertido en un hombre. Me veo a mí misma jugando con mis muñecas sin tener a ninguna favorita, y legándolas a las vecinas cuando ya no sean de mi interés.

Me imagino a mi hija viajando a África para indagar sobre el pasado común de toda la humanidad. De seguro se acordará del globo terráqueo que me pidió y le regalé el día de su cumpleaños junto a esta torta que ahora está en el horno.

De seguro no aguantará las ganas de reírse cuando se acuerde del día en el que vaciamos la casa de los objetos inservibles y nuestra ropa en desuso, para luego ver a las vecinas pasar con nuestros ajuares.

Yo siempre permaneceré en ella como ella, ahora mismo, permanece en mí. Estaremos siempre presentes en todas las generaciones que vendrán más adelante.

Espero que seamos convocadas dentro de muchas décadas en el jardín de una de mis tataranietas, una tarde de verano cuando el ocaso marque el final del sol.

PanHouse
Casa Editorial

Made in the USA
Monee, IL
11 August 2022